CW00427847

La cuisine facile d'aujourd'hui

par Delia Smith

Traduction : Sophie Brissaud
Adaptation et réalisation : Marie Vendittelli / Looping
Couverture : Nicole Dassonville

La cuisine facile d'aujourd'hui
par Delia Smith

Photographies : Miki Duisterhof

HACHETTE

Sommaire

Mon petit coin de Suffolk et, dans le jardin (page précédente), le bungalow où ce livre a été écrit.

Introduction

Cela fait bientôt trente ans que j'ai commencé à écrire des recettes, et vingt-cinq ans que je cuisine pour la télévision. Inutile de dire que notre vie a considérablement changé au cours de ce dernier quart du XXe siècle. Et avec elle, notre paysage culinaire.

Nous sommes entrés dans ce qu'on peut appeler une ère d'abondance. Nous avons désormais à portée de main tout ce que nous pouvons désirer. Dans n'importe quel hypermarché, et un peu partout dans les grandes villes, s'offrent des produits et des ingrédients venus des quatre coins du monde. Et si nous n'avons pas envie de faire la cuisine, nous achetons des plats cuisinés, des salades et des potages tout prêts. Il n'y a plus une rue commerçante qui n'ait ses comptoirs de vente à emporter, de restauration rapide, ses services de traiteurs – sans parler des restaurants. Et s'il nous vient l'envie de grignoter dans la journée, eh bien ! pas de problème : chips, barres chocolatées sont à profusion. C'est quand on veut, comme on veut.

Il faut bien admettre que nous sommes gâtés. Alors pourquoi publier cet ouvrage aujourd'hui ? Parce que toute cette liberté de choix ne constitue pas nécessairement un bienfait absolu. Telle est mon opinion. Peut-être risquons-nous de perdre quelque chose de très précieux : la simplicité. Le respect des ingrédients simples et naturels, les joies et les plaisirs qu'ils apportent à notre vie quotidienne.

D'un autre côté, il n'est pas question de passer le plus clair de notre temps à la cuisine, et c'est là, aussi, que cette simplicité entre en jeu : il faut nous rappeler qu'à la fin d'une rude journée, une omelette parfaitement préparée, légère et moelleuse est non seulement plus savoureuse mais aussi plus saine et plus vite préparée que n'importe quel plat acheté en barquette.

Depuis quelques années, on s'aperçoit que la cuisine pourrait, plus peut-être que tout autre phénomène, pâtir de la prétention et du snobisme. La beauté des choses simples est si fragile, si facile à perdre ! Bien sûr, nous désirons tous goûter la grande cuisine, celle des chefs prestigieux, mais le plaisir sensuel de manger est un plaisir de tous les jours. Or, ce plaisir n'est pas souvent au rendez-vous dans la foule de préparations instantanées, industrielles et sans âme qu'on nous force subtilement à ingurgiter.

En écrivant ce livre, j'ai visé deux objectifs : le premier est de réhabituer mes lecteurs au plaisir d'employer des ingrédients simples et fondamentaux ; le second est de fournir aux débutants leur premier livre de cuisine, qui leur donnera de bonnes bases techniques et leur préparera le terrain pour toute une vie d'apprentissage, non seulement de la cuisine mais du pur bonheur de se régaler chaque jour de l'année.

Delia Smith

1

Tout sur les œufs

Si vous voulez apprendre
à cuisiner, voici mon conseil :
commencez par les œufs.
Parce qu'ils sont le symbole
universel de la nouveauté,
des commencements,
du renouvellement de la vie,
mais aussi pour une autre raison :
leur valeur symbolique peut être
négative, comme un aveu
d'incompétence. Cette petite
phrase si souvent entendue,
« Je ne sais pas faire cuire un œuf »,
n'est-elle pas synonyme
de « Je suis nul en cuisine » ?

Faire bouillir les œufs

Un petit trou d'épingle pratiqué dans l'extrémité arrondie permet à la vapeur de s'échapper pendant la cuisson et évite à l'œuf d'éclater sous la pression de l'air.

Ne faites pas bouillir les œufs dans une trop grande casserole. Moins ils auront de place pour s'entrechoquer, moins ils risqueront de se fêler. Utilisez un récipient où ils tiennent juste à leur place.

Comment ? Une seule réponse : avec précaution. Même la plus simple des tâches culinaires demande un minimum de soin et d'attention. Mais ce soin initial vous permet ensuite, une fois la méthode mémorisée, de cuire les œufs à la perfection pour le restant de vos jours sans même y penser. Il est important de commencer par l'acquisition de règles fondamentales.

1. Ne faites jamais bouillir des œufs tout juste sortis du réfrigérateur. Les œufs trop froids ont tendance à se fêler à la chaleur.

2. Utilisez toujours un minuteur de cuisine. Si vous essayez de deviner le temps de cuisson, de le mesurer à l'instinct ou de penser à jeter un coup d'œil à votre montre, vous risquez fort de vous tromper.

3. Souvenez-vous de la poche d'air : celle-ci, sous l'effet de la chaleur, peut se dilater et faire éclater l'œuf. Un petit trou d'épingle dans l'extrémité arrondie permet à la vapeur de s'échapper. Votre œuf reste intact.

4. Préférez les petites casseroles où les œufs se tiennent bien serrés ; s'ils ont trop de place pour batifoler dans l'eau bouillante, ils se heurteront fatalement et se casseront.

5. Ne faites jamais cuire les œufs à gros bouillon. Un simple frémissement suffit.

6. Ne dépassez jamais le temps de cuisson des œufs (le minuteur vous garantira de toute erreur). Trop cuire un œuf est un péché impardonnable : le jaune noircit et le blanc devient caoutchouteux.

7. Si les œufs sont très frais (au maximum quatre jours), prolongez leur cuisson de trente secondes.

Œufs à la coque, méthode 1

Bien entendu, chacun a sa petite préférence personnelle et précise quant au degré de cuisson des œufs. Avec le temps, j'ai mis au point une méthode à la fois simple et efficace, dont les minutages donnent des résultats qui conviennent à tous les goûts. Tout d'abord, il vous faut une petite casserole contenant assez d'eau frémissante pour couvrir les œufs de 1 cm. Ensuite, placez chaque œuf dans une cuillère à soupe et, rapidement mais délicatement, abaissez-les au niveau de la surface de l'eau et déposez-les y. Cela fait, prenez un minuteur et réglez-le à exactement 1 minute. L'eau doit juste frémir. Cette minute passée, retirez la casserole du feu, couvrez-la et reprenez le minuteur. Réglez-le sur les durées suivantes :

- 6 minutes d'attente vous donneront un jaune onctueux, assez liquide, et un blanc pris mais encore tremblotant.

- 7 minutes d'attente produiront un œuf mollet, au jaune crémeux, plus ferme, et un blanc tout à fait coagulé.

Œufs à la coque, méthode 2

J'ai mis au point cette autre méthode qui donne de très bons résultats. Cette fois, déposez les œufs dans la casserole, couvrez-les de 1 cm d'eau froide, et mettez la casserole sur feu vif.

Dès le début de l'ébullition, baissez le feu afin d'obtenir un léger frémissement et observez les durées de cuisson suivantes :

- 3 minutes pour un œuf coque très peu cuit,
- 4 minutes pour un œuf coque au blanc juste pris et au jaune liquide,
- 5 minutes pour un œuf mollet (blanc et jaune parfaitement pris, le jaune restant onctueux au centre).

En haut : un œuf à la coque peu cuit possède un jaune encore très liquide et un blanc non encore totalement pris. En dessous, à droite : l'œuf est cuit à la coque mais un peu plus longtemps ; le jaune est onctueux et le blanc juste coagulé. À gauche : l'œuf est cuit mollet ; le jaune est moelleux, le blanc est solidement coagulé.

Les œufs durs

Certaines personnes n'aiment pas les œufs à la coque et préfèrent les œufs durs, qu'elles dégustent dans leur coquille. Très bien, mais si vous avez besoin d'œufs durs dans une recette, il faudra les écaler, ce qui peut être délicat si les œufs sont trop frais. La première règle consiste à prendre des œufs qui ont au moins dépassé de cinq jours leur date de ponte. Il faut ensuite les déposer dans la casserole, les couvrir de 1 cm d'eau. Portez l'eau à frémissement, réglez un minuteur sur 6 minutes si vous préférez des œufs au cœur un peu onctueux, 7 minutes si vous les aimez bien cuits. Ensuite, il est important de les faire refroidir immédiatement sous l'eau froide pour arrêter leur cuisson. Laissez-les 1 minute sous l'eau froide courante, puis réservez-les dans l'eau froide 2 minutes environ, jusqu'à ce qu'ils soient maniables. Une fois que vous aurez maîtrisé l'art des œufs durs, vous disposerez d'une infinité de manières de les servir, par exemple en curry (page suivante), une de mes spécialités favorites.

Écaler les œufs durs

La meilleure façon d'écaler les œufs durs est de fendre la coquille sur toute sa surface en la heurtant contre un plan ou un objet dur, puis de la peler sous un filet d'eau froide en commençant par la partie la plus arrondie. L'eau éliminera les petits bouts de coquille. Ensuite, remettez les œufs dans l'eau froide jusqu'à ce qu'ils soient entièrement refroidis. Ce rafraîchissement est essentiel, sinon les œufs continuent de cuire : le blanc durcit et le jaune devient farineux, cerclé d'une marge gris verdâtre.

Les œufs de caille

Comme les œufs de poule, ils ne doivent pas être trop frais si vous les faites cuire durs. Il faut les plonger dans de l'eau frémissante et les y laisser 5 minutes, les rafraîchir rapidement et les écaler comme indiqué ci-dessus.

Les œufs de caille, par leur jolie couleur, changent agréablement des œufs de poule, et leur cuisson est tout aussi simple.

Curry d'œufs et de lentilles à la crème de coco et au pickle de citron vert

C'est une de mes recettes d'appoint favorites. Si, comme moi, vous avez un placard à épices bien garni et toujours une boîte de lait de coco en réserve, vous pourrez réaliser ce plat en un clin d'œil. Autre avantage : ce curry ne revient pas cher et convient tout à fait aux végétariens. Le lime pickle, citron vert macéré dans l'huile, la moutarde et les épices, est un condiment indien aux usages multiples. Vous le trouverez dans la plupart des alimentations orientales ou épiceries fines, tout comme la poudre de fenugrec.

2 personnes
4 gros œufs
75 g de lentilles vertes lavées et égouttées
75 g de crème de coco ou 50 cl de lait de coco
1 grosse cuillerée à café de lime pickle (voir introduction de la recette)
le jus et le zeste râpé d'un demi-citron vert
1 gros oignon
1 petit piment rouge
2 grosses gousses d'ail
2,5 cm de racine de gingembre frais
3 gousses de cardamome écrasées
1 cuillerée à café de graines de cumin
1 cuillerée à café de graines de fenouil
1 cuillerée à dessert de graines de coriandre
2 cuillerées à soupe d'huile végétale
1 grosse cuillerée à café de poudre de curcuma
1 cuillerée à café de poudre de fenugrec
sel

Pour servir
15 cl de riz, cuit (voir page 159 les instructions pour cuisson et mesure)
un peu de lime pickle
Il vous faudra également un mortier et une poêle moyenne munie d'un couvercle.

Commencez par préparer tous vos ingrédients de façon à les avoir à portée de main. Pelez l'oignon, coupez-le en deux et taillez-le en fines demi-lunes. Retirez les graines du piment, hachez finement la chair. Pelez l'ail et hachez-le finement. Hachez également le lime pickle après en avoir prélevé la quantité nécessaire. Pelez le gingembre, râpez-le finement : il vous en faut la valeur de deux cuillerées à café. Si vous utilisez de la crème de coco solidifiée, râpez-la avec un couteau bien tranchant et réservez-la dans un saladier. Mesurez les épices et réservez-les. Portez de l'eau à ébullition.

Mettez la poêle sur feu moyen. Dès qu'elle est bien chaude, jetez-y les épices entières (cumin, cardamome, fenouil et coriandre). Il faut les faire griller à sec, ce qui prendra de 2 à 3 minutes. Secouez la poêle de temps en temps. Dès que les graines commencent à sauter, retirez la poêle du feu et versez directement les graines dans un mortier.

Remettez la poêle sur feu vif et ajoutez l'huile. Dès qu'elle commence à fumer, ajoutez les oignons et faites-les dorer sur feu moyen à vif pendant environ 4 minutes, jusqu'à ce qu'ils commencent à roussir sur les bords. Baissez le feu de vif à moyen ; ajoutez le piment, le gingembre, l'ail et le lime pickle, ainsi que le curcuma et le fenugrec. Pendant qu'ils cuisent, pilez finement les épices grillées dans le mortier, ajoutez ces dernières au contenu de la poêle et mélangez bien le tout.

Versez environ 60 cl d'eau bouillante dans le récipient contenant la crème de coco, et mélangez au fouet.

Ajoutez au contenu de la poêle les lentilles égouttées, ainsi que le zeste de citron vert et le coco dilué (si vous utilisez du lait de coco en boîte, versez directement le contenu de la boîte). Remuez de nouveau et portez à frémissement. Baissez le feu, couvrez et faites mijoter 45 minutes environ sur feu très doux, en remuant de temps à autre (ne salez pas).

10 minutes avant la fin de la cuisson, déposez les œufs dans une casserole d'eau froide, portez à frémissement et comptez 6 ou 7 minutes selon la cuisson préférée. Lorsqu'ils sont cuits, rafraîchissez-les sous l'eau froide courante.

Lorsque la sauce est prête, salez-la et ajoutez le jus de citron vert. Écalez les œufs sous l'eau froide courante, coupez-les en deux et déposez-les sur le contenu de la poêle. Couvrez, laissez mijoter encore deux minutes et servez ce curry sur du riz, un peu de lime pickle en accompagnement et, si vous voulez, un chutney de mangue qui donnera une petite touche sucrée.

Canapés aux œufs, à la ciboulette et à l'oignon nouveau

Ma voisine, Dot, me fournit régulièrement en petits pains bis bien frais qu'elle confectionne elle-même. Le dimanche soir, nous les faisons chauffer, nous les coupons en deux, et nous les garnissons généreusement d'une de ces délicieuses salades d'œufs durs. Et nous en faisons notre dîner.

2 personnes

3 petits pains individuels tendres, chauffés, coupés en deux et beurrés
3 gros œufs durs (voir page 11)
1 grosse cuillerée à soupe de ciboulette fraîchement ciselée
4 oignons nouveaux très finement hachés (y compris une bonne partie du vert)
1/2 cuillerée à café de beurre
1 cuillerée à soupe de mayonnaise
sel, poivre noir du moulin
1 poignée de pousses de cresson pour la garniture

Une fois les œufs refroidis, écalez-les et mettez-les dans un saladier avec les autres ingrédients. Prenez une grande fourchette et écrasez tout le contenu du saladier jusqu'à obtention d'un mélange homogène. Garnissez-en les petits pains et décorez de pousses de cresson avant de servir.

Garniture à l'œuf et au bacon

Cette garniture ne comporte ni ciboulette ni oignon nouveau. Faites rissoler six tranches de bacon anglais jusqu'à ce qu'elles soient croustillantes, émiettez-en quatre finement et incorporez-les à la salade d'œufs durs. Garnissez en dôme les demi-petits pains et décorez le sommet du reste de bacon grossièrement émietté, comme vous pouvez le voir sur la photo ci-contre.

Garniture à l'anchois et à l'échalote

Cette garniture ne comporte ni ciboulette ni oignon nouveau. Ajoutez à la salade d'œufs durs six filets d'anchois égouttés et finement hachés, 1 échalote très finement hachée et 1 cuillerée à dessert de persil finement haché. Garnissez en dôme les petits pains et couronnez chaque canapé d'une olive noire enroulée dans un filet d'anchois, comme sur la photo ci-contre.

Ci-contre, de haut en bas et de gauche à droite : Canapé à l'œuf et au bacon ; Canapé à l'œuf, à la ciboulette et à l'oignon nouveau ; Canapé à l'œuf, à l'anchois et à l'échalote.

Pocher les œufs

Le secret d'un bon œuf poché : garder l'eau à très petit frémissement pendant toute la première minute de pochage.

Avant d'entrer dans le vif du sujet, je crois nécessaire de dissiper quelques légendes tenaces qui nimbent de mystère le simple œuf poché. Récemment, une personne de ma connaissance m'a dit qu'elle s'était rendue dans six magasins d'articles culinaires et qu'aucun n'avait de pocheuse à œufs à lui proposer. « Quel grand pas pour l'humanité ! » fut ma réaction immédiate. Ces pocheuses antédiluviennes étaient tout sauf efficaces. Elles ne faisaient que racornir les œufs dans une vapeur trop forte. Ce qui en sortait était tout sauf des œufs pochés. Et avez-vous déjà essayé de nettoyer un de ces ustensiles ? Le blanc d'œuf séché, collant, était un vrai cauchemar.

Les chefs professionnels ne simplifiaient pas les choses. Une épreuve cruciale pour passer maîtres dans leur art consistait à provoquer, à l'aide d'un fouet à main, un véritable tourbillon d'eau frémissante, puis à effectuer un numéro de prestidigitation culinaire en faisant tourner l'œuf sur lui-même pour lui rendre sa forme d'origine. Mais, chez soi, on peut rester simple et obtenir de vrais œufs pochés pour quatre, voire cinq ou six personnes, sans se donner tant de mal. La méthode que je donne ci-dessous n'a rien d'intimidant ni de risqué, mais n'oubliez pas que de bons œufs pochés doivent impérativement être extra-frais. Voici ce qu'il vous faut :

De 4 à 6 gros œufs extra-frais (moins de quatre jours),
1 poêle ou un sautoir capable de les contenir tous,
de l'eau bouillante dans une bouilloire,
1 écumoire, ainsi que quelques feuilles de papier absorbant.

Posez la poêle sur feu doux et versez-y un bon doigt d'eau bouillante (2,5 cm de hauteur). Gardez le feu très doux. Très vite, vous verrez de petites bulles se former au fond de la poêle (photo de gauche, en haut). À ce moment, cassez les œufs avec précaution, un par un, dans l'eau que vous laisserez à peine frémir, sans couvrir la poêle, pendant 1 minute. Le minuteur est essentiel, car le temps de cuisson doit être bien respecté.

Au bout de cette minute, retirez la poêle du feu et laisser reposer les œufs dans l'eau chaude pendant exactement 10 minutes. Ainsi, vous obtiendrez des œufs pochés parfaits : le blanc sera bien pris, souple et translucide, et le jaune tendre et onctueux. Retirez chaque œuf avec la cuillère perforée et posez celle-ci quelques secondes sur le tampon de papier qui absorbera l'excès d'eau. Servez immédiatement.

Maintenant que vous avez appris à pocher les œufs, vous pouvez utiliser votre savoir-faire de multiples façons. Sur des toasts, sur un muffin grillé, sur une salade aux lardons, avec des haricots blancs, un coulis de tomate…

Voici une idée de plat rapide et délicieux : pochez du haddock fumé à l'eau dans une poêle ou un sautoir. Égouttez-le et réservez-le au chaud pendant que vous faites pocher des œufs dans l'eau de cuisson. Vous servirez le haddock avec les œufs à cheval, le tout accompagné de bon pain de seigle beurré.

Salade d'épinards tiède aux œufs pochés, à la saucisse rissolée et au bacon

Dans cette salade, la saucisse rissolée, l'œuf moelleux, le bacon croustillant, les croûtons et les champignons forment un ensemble harmonieux. La verdure est fournie par une délicate combinaison de jeunes épinards et de cresson.
Le vinaigre de jerez et le jerez sec relèvent le tout avec élégance.

2 personnes, pour un repas léger
110 g de jeunes épinards ou de pousses d'épinard lavées et essorées
un peu de cresson bien lavé et essoré
4 gros œufs extra-frais
75 g de saucisse fumée cuite (kabanyossi d'Alsace, montbéliard cuite ou saucisson à l'ail fumé)
4 tranches de bacon anglais fumé
1 petit oignon épluché
50 g de champignons de Paris ouverts
2 tranches de pain de mie débarrassées de leur croûte
3 cuillerées à soupe d'huile d'olive extra-vierge
3 cuillerées à soupe de jerez sec
1,5 cuillerée à soupe de vinaigre de jerez
poivre noir du moulin

Pour réussir cette recette, vous devez préparer tous vos ingrédients à l'avance. L'oignon, les champignons et les tranches de bacon doivent être taillés en brunoise de 5 mm de côté environ ; la saucisse doit être, elle aussi, taillée en dés, mais plus grossièrement (1 cm). Taillez ensuite le pain de mie en dés de 5 mm de côté. Disposez les épinards et le cresson sur deux grandes assiettes en retirant les tiges et les côtes trop dures.

Pochez les œufs selon les instructions des pages précédentes, et, pendant qu'ils reposent dans l'eau chaude, versez 1 cuillerée à soupe d'huile dans une poêle moyenne à fond épais (en fonte par exemple). Lorsque l'huile est bien chaude, faites-y dorer les croûtons en les remuant continuellement avec une spatule jusqu'à ce qu'ils soient bien croustillants et colorés de toute part — de 1 à 2 minutes environ. Retirez-les et faites-les égoutter sur du papier absorbant.

Versez le reste de l'huile dans la poêle ; faites-la bien chauffer, puis ajoutez l'oignon, le bacon et la saucisse. Faites-les dorer en remuant bien, sur feu vif, jusqu'à ce que le tout soit bien doré et rissolé.

Au bout de 4 minutes, ajoutez les champignons et remuez également sur feu vif pendant 2 minutes. Enfin, donnez quelques tours de moulin à poivre, ajoutez le jerez et le vinaigre de jerez, laissez bouillonner et réduire quelques secondes. Retirez du feu, déposez les œufs sur la salade, répartissez dans les assiettes le contenu de la poêle et parsemez de croûtons.

Réussir les œufs au plat

Un bon œuf au plat est une merveille de la cuisine : bordé d'une dentelle croustillante, le jaune au centre, encore crémeux, légèrement rosé. Mes plus beaux souvenirs d'œufs au plat proviennent de l'île de la Barbade, dans les Caraïbes, où j'ai eu la chance de faire quelques séjours. C'est l'endroit rêvé pour prendre un bain de mer juste au saut du lit, nager vers le large en contemplant la splendeur de la côte, et recevoir soudain les effluves du petit déjeuner que l'on prépare à terre. Un peu plus tard, le cuisinier, sa vieille poêle à frire toute noircie à la main, vous demande avec un grand sourire comment vous préférez vos œufs au plat.

Justement, voilà une bonne question : comment préférez-vous vos œufs au plat ? Les préparations varient selon les individus. C'est une affaire très personnelle. Cependant, la méthode que je donne ci-dessous peut être adaptée à tous les goûts. La voici. Vous aurez besoin de :

2 gros œufs extra-frais,
1 cuillerée à dessert d'huile végétale ou de graisse de bacon,
1 petite poêle à frire à fond épais,
1 spatule métallique ajourée et du papier absorbant.

En arrosant l'œuf de la graisse contenue dans la poêle, vous assurerez une cuisson plus uniforme et obtiendrez un œuf au plat parfait : bordé d'une dentelle croustillante, avec un cœur tendre et rosé.

Posez la poêle sur feu vif et faites-y chauffer l'huile ou la graisse de bacon. Dès que celle-ci est bien chaude, cassez-y les œufs avec précaution. Laissez-leur 30 secondes pour qu'ils s'étalent, puis baissez le feu de vif à moyen et poursuivez la cuisson en inclinant de temps en temps la poêle et en arrosant les œufs de la graisse de cuisson afin que la surface des jaunes puisse cuire un peu, elle aussi. Au bout d'une minute, les œufs sont cuits : retirez la poêle du feu et soulevez les œufs avec la spatule. Déposez celle-ci sur le papier absorbant durant quelques secondes afin d'éliminer l'excédent de graisse, puis glissez les œufs sur une assiette, tamponnez-les légèrement de papier absorbant pour les dégraisser davantage et dégustez-les dès que possible.

Cette méthode vous permettra d'obtenir des œufs au plat bordés d'un ourlet de blanc légèrement dentelé et rissolé. Le blanc est pris, le jaune onctueux. Si vous ne tenez pas au bord rissolé, faites cuire les œufs sur feu moyen dès le début et prolongez le temps de cuisson.

Si vous désirez faire frire vos œufs dans du beurre, vous devez le faire sur feu plus doux et prolonger la cuisson afin d'éviter que le beurre ne noircisse.

Pour les œufs au bacon, procédez comme indiqué ci-dessus mais faites frire le bacon en premier. N'oubliez pas de pratiquer avec des ciseaux quelques petites incisions dans la couenne du bacon, ce qui l'empêche de se recroqueviller à la cuisson ; ensuite versez 1 cuillerée à café d'huile d'arachide dans une poêle chaude et faites-y frire les tranches de bacon jusqu'à ce qu'elles soient dorées et croustillantes. Déposez-les sur du papier absorbant pour les dégraisser au maximum et gardez-les au chaud pendant que vous faites frire les œufs dans la graisse laissée par le bacon.

Œuf au plat sur émincé de corned-beef

Cette recette traditionnelle américaine, rustique et savoureuse, se prépare également avec des œufs pochés et se sert en général dans les delis, *surtout au petit déjeuner. Le corned-beef est émincé et rissolé avec des pommes de terre et des oignons. Notre corned-beef en boîte n'est pas le même que celui que l'on trouve aux États-Unis, mais il fait très bien l'affaire, et pour un prix minime. Voilà un délicieux repas, d'une simplicité enfantine, et qui ne vous coûtera pas cher.*

2 personnes
200 g de corned-beef en boîte
2 gros œufs extra-frais
2 cuillerées à soupe de sauce Worcestershire
1 grosse cuillerée à café de moutarde à grains entiers
1 gros oignon
275 g de pommes de terre bintje ou charlotte
huile d'arachide ou de maïs
sel, poivre noir du moulin

Il vous faudra également une poêle à fond épais d'environ 20 cm de diamètre, une poêle légèrement plus petite pour les œufs et deux assiettes réservées dans un four doux.

Taillez d'abord le bloc de corned-beef en deux, puis en tranches de 5 mm d'épaisseur, et celles-ci en dés de 5 mm de côté. Réservez le tout dans un saladier. Mélangez dans un petit bol la sauce Worcestershire et la moutarde, et versez le tout sur le corned-beef en mélangeant bien pour répartir la sauce.

Pelez l'oignon et coupez-le en deux. Taillez-le en tranches fines, puis coupez ces dernières en deux. Lavez les pommes de terre sans les peler et taillez-les en dés de 1 cm. Mettez-les dans une casserole, recouvrez-les à peine d'eau bouillante, salez, couvrez et faites cuire 5 minutes, pas plus, puis égouttez-les dans une passoire et couvrez-les d'un torchon propre pour absorber la vapeur.

Faites chauffer, dans la grande poêle, 2 cuillerées à soupe d'huile. Lorsqu'elle commence à fumer, ajoutez les oignons et remuez-les bien pendant 3 minutes sur feu vif, jusqu'à ce qu'ils soient bien dorés sur les bords.

Rassemblez-les sur un côté de la poêle, ajoutez les pommes de terre et remuez-les bien pour les faire dorer également. Ajoutez un peu d'huile si nécessaire. Salez et poivrez tout en retournant oignons et pommes de terre avec une spatule métallique. Au bout de 6 minutes, ajoutez le corned-beef et continuez de faire frire en remuant jusqu'à ce que la viande soit chaude (3 minutes environ).

Ensuite, sur feu très doux, faites cuire les œufs dans la plus petite poêle comme indiqué page précédente. Répartissez l'émincé de corned-beef entre les deux assiettes chaudes, couvrez-le d'un œuf par personne — et n'oubliez pas le ketchup.

Préparer des œufs brouillés de rêve

J'ai appris à faire les œufs brouillés selon la méthode d'Auguste Escoffier, et je tiens toujours celle-ci pour l'une des meilleures. Depuis une vingtaine d'années, toutefois, on observe une tendance à éviter le beurre comme la peste. On n'a pas entièrement tort : par le passé, on en utilisait trop, jusqu'à masquer les saveurs les plus délicates. Pourtant, il ne faudrait pas oublier les grandes qualités du beurre, ingrédient irremplaçable et, qui plus est, en affinité parfaite avec les œufs.
C'est pourquoi je tiens, pour les œufs brouillés, à ma recette d'Escoffier.

La règle la plus impérative est de ne pas forcer sur la chaleur : sur feu trop vif, les œufs durciront et deviendront caoutchouteux. J'ai un truc : retirer la casserole du feu tant que les œufs restent encore un peu liquides ; ils finiront de cuire jusqu'au moment où vous les servirez, et ils resteront crémeux.

Œufs brouillés pour une personne

Ces proportions sont à multiplier par le nombre de convives.
La méthode reste la même mais le temps de cuisson, bien entendu, est plus long.

2 gros œufs
10 g de beurre
sel, poivre noir du moulin

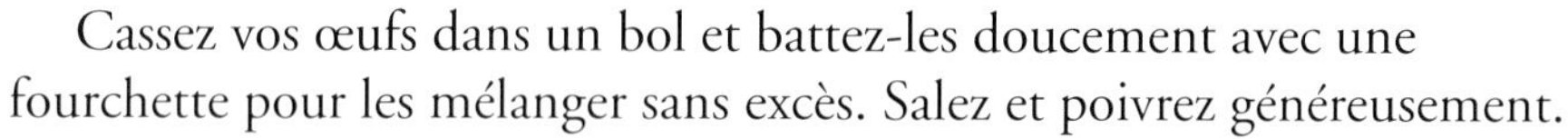

Cassez vos œufs dans un bol et battez-les doucement avec une fourchette pour les mélanger sans excès. Salez et poivrez généreusement.

Prenez une petite casserole à fond épais et posez-la sur feu moyen. Faites-y fondre la moitié du beurre et inclinez la poêle dans tous les sens pour bien l'enduire, fond et bords. Au moment où le beurre commence à mousser, versez les œufs battus dans la poêle. En vous servant d'une fourchette en bois ou d'une spatule en bois terminée en pointe, remuez vivement le mélange d'avant en arrière et inversement pour empêcher l'œuf d'attacher. N'augmentez jamais la chaleur : soyez patient, continuez de brouiller vos œufs jusqu'à ce que les trois-quarts de la masse soient pris et le reste encore liquide.

Retirez alors la poêle du feu, ajoutez le beurre restant et continuez de brouiller. La chaleur de la poêle va finir de cuire les œufs. Quand tout aspect liquide a disparu, servez immédiatement sinon les œufs continuent de cuire et durcissent. Une fois que vous aurez maîtrisé l'art simplissime de retirer les œufs du feu pour les laisser cuire, vous n'aurez plus jamais de problème d'œufs brouillés. Si vous le désirez, vous pouvez ajouter avec le beurre un peu de crème fraîche. De toute façon, des œufs brouillés bien crémeux, juste pris, constituent un des grands plaisirs de la vie. Servez avec des toasts beurrés.

Versez les œufs battus dans la poêle et brouillez jusqu'à ce que les trois-quarts de la masse soient coagulés. Retirez du feu et ajoutez le reste du beurre…

Œufs brouillés légers

Cette recette d'œufs brouillés s'adresse aux personnes qui suivent un régime ou qui doivent éviter les graisses. Bien que peu calorique, elle est délicieuse, et quand, moi-même, je dois manger léger, je l'étale sur du pain croquant suédois au sésame.

1 personne
2 gros œufs
1 cuillerée à soupe de lait
1 grosse cuillerée à soupe de Saint-Moret ou de cottage cheese
1 cuillerée à soupe de ciboulette ciselée
sel, poivre noir du moulin

Il vous faudra également une petite casserole antiadhésive et une fourchette en bois ou une spatule en bois terminée en pointe.

Battez les œufs dans un bol avec une bonne dose de sel et de poivre. Placez la casserole sur feu doux, versez-y le lait et inclinez la casserole dans tous les sens pour bien y répartir le lait. Ajoutez les œufs et, avec une fourchette en bois ou une spatule terminée en pointe, remuez-les d'avant en arrière et inversement jusqu'à ce que les trois-quarts de la masse soient coagulés et crémeux, et le quart restant encore liquide. Ajoutez alors le fromage et la ciboulette, continuez de brouiller les œufs quelques instants, puis retirez du feu et continuez de brouiller jusqu'à ce que la masse soit entièrement cuite.

Œufs brouillés en brioche au saumon fumé

Voici une des plus sublimes associations de saveurs : des œufs brouillés onctueux et un émincé de saumon fumé à l'arôme subtil. Dans certains restaurants, on sert les œufs brouillés couverts de tranches de saumon fumé, mais quel gâchis ! Faire macérer le saumon émincé dans la crème, puis l'incorporer aux œufs juste au dernier moment, c'est tout de même autre chose.

2 personnes
4 gros œufs
125 g de tranchettes ou de chutes de bon saumon fumé
4 cuillerées à soupe de crème fleurette
2 petites brioches rondes pur beurre
15 g de beurre
sel, poivre noir du moulin
un peu d'aneth pour garnir

Il faut émincer le saumon assez finement pour cette recette : si vous utilisez des chutes, pensez à émincer tout de même les plus grosses. La plupart du temps, je me sers de ciseaux pour cette opération. Déposez votre émincé de saumon dans un bol, ajoutez la crème, remuez bien, couvrez le bol et laissez reposer 30 minutes.

Lorsque vous êtes prêt à réaliser vos œufs brouillés, faites chauffer le gril du four. Décalottez chaque brioche en prélevant un chapeau, et, avec une petite cuillère, retirez avec précaution la moitié de la mie de la brioche, sans abîmer celle-ci.

Placez brioches et chapeaux sous le gril du four. Faites-les légèrement griller en les retournant une fois. Retirez-les du gril.

Faites fondre le beurre dans une casserole moyenne sur feu très doux.

Pendant qu'il chauffe, cassez les œufs dans un saladier et battez-les légèrement à la fourchette. Salez et poivrez.

Lorsque le beurre commence à mousser, répartissez-le sur tout le fond de la poêle en inclinant celle-ci, puis versez-y les œufs battus. Sur feu légèrement plus vif, à l'aide d'une fourchette en bois ou d'une spatule terminée en pointe, remuez-les d'avant en arrière et inversement, en insistant sur la base des parois de la casserole pour empêcher les œufs d'attacher. Dès qu'ils commencent à prendre (au bout d'une minute environ), et qu'à peu près la moitié des œufs reste liquide, ajoutez rapidement les tranches de saumon et la crème, et brouillez les œufs avec insistance jusqu'à obtention d'une masse crémeuse et homogène. Retirez du feu, rectifiez l'assaisonnement et remplissez les brioches de ces œufs brouillés. Décorez de quelques brins d'aneth, replacez les chapeaux sur les brioches et servez immédiatement.

Œufs sur le plat aux poivrons et au chorizo

En cuisine traditionnelle, « œufs sur le plat » voulait dire : œufs cuits au four. On fabriquait autrefois des plats spéciaux pour cela, en porcelaine à feu, légèrement évasés et munis de deux oreillettes. On les trouve encore dans les magasins spécialisés, en porcelaine ou en fonte émaillée, et il y a en général assez de place pour deux œufs. Dans cette recette d'inspiration basque, les œufs sont cuits sur un fond d'oignons, d'ail, de poivrons et de chorizo, et gratinés au gruyère. Ce plat est délicieux pour un déjeuner ou un dîner léger, et il peut être réalisé rapidement.

2 personnes
4 gros œufs
1 petit poivron vert ou rouge
75 g de chorizo
1 oignon moyen
3 tomates moyennes
1 grosse gousse d'ail
1 cuillerée à soupe d'huile d'olive
50 g de gruyère râpé
sel, poivre noir du moulin

Vous aurez également besoin de deux plats à gratin (des plats à œufs, précisément) de 15 cm de diamètre enduits d'un filet d'huile d'olive, et d'une plaque à pâtisserie d'environ 28 x 35 cm.

Préchauffez le four à 180 °C (th. 6).

Préparez tous les ingrédients. Retirez la peau du chorizo et taillez-le en tranches de 5 mm. L'oignon doit être pelé, coupé en deux et chaque moitié taillée en demi-lunes aussi fines que possible. Retirez le cœur et les pépins du poivron, ainsi que les côtes intérieures. Coupez-le en quartiers, puis en fines lamelles. Versez de l'eau bouillante sur les tomates, laissez-les reposer 30 secondes, égouttez-les et pelez-les. Coupez-les en deux dans le sens de la largeur, pressez-les légèrement pour les épépiner puis hachez la chair en petits dés au couteau. Pelez l'ail, hachez-le finement.

Placez sur feu vif une grande poêle à fond épais. Ajoutez l'huile d'olive. Quand celle-ci est très chaude, faites-y dorer le chorizo en remuant bien. Réservez-le ensuite sur une assiette. Faites dorer, dans la poêle, l'oignon et le poivron sur feu vif, sans cesser de remuer, jusqu'à ce qu'ils soient tendres et légèrement dorés. Cette opération prendra de 5 à 10 minutes. Ajoutez ensuite les tomates et l'ail, faites cuire encore 1 minute, puis ajoutez le chorizo réservé. Remuez bien une dernière fois, salez et poivrez à votre goût.

Retirez la poêle du feu et répartissez son contenu dans deux plats à gratin. Sur ce mélange, cassez avec précaution deux œufs par plat ; salez et poivrez, puis couvrez de gruyère râpé. Glissez les œufs au four, sur la grille placée à la position supérieure, et faites cuire de 12 à 15 minutes, ou un peu plus longtemps selon la cuisson que vous préférez. Pour être vraiment parfait, ce plat doit s'accompagner d'un bon vin rouge corsé et d'une baguette croustillante.

Œufs cocotte

De toutes les préparations d'œufs, celle-ci est une des plus gourmandes. En France, elle est synonyme de confort et de simplicité. Les petits ramequins dans lesquels on les fait cuire au bain-marie sont prévus en général pour un œuf, mais on en trouve aussi pour deux œufs — ce sont des moules à soufflé miniatures. Je vous donne ici la recette de base des œufs cocotte, avec quelques variantes.

2 personnes en entrée
2 gros œufs frais
25 g de beurre
sel, poivre noir du moulin

Vous aurez également besoin de deux ramequins ou petits moules à soufflé en porcelaine de 7,5 cm de diamètre et de 4 cm de hauteur, généreusement beurrés, posés dans un plat métallique de 20 x 28 cm et de 5 cm d'épaisseur.

Préchauffez le four à 180 °C (th. 6).

Portez de l'eau à ébullition dans une bouilloire. Cassez un œuf dans chaque ramequin, ajoutez une noisette de beurre. Placez les ramequins dans le plat en métal, glissez le plat au four sur une grille placée à mi-hauteur, puis versez de l'eau bouillante à mi-hauteur des ramequins. Faites cuire 15 minutes si vous aimez les œufs bien onctueux, 18 minutes si vous les aimez plus cuits. N'oubliez jamais, de toute façon, qu'ils continueront de cuire jusqu'à leur arrivée à table.

Il existe de nombreuses variantes de ce plat, voici les principales. Remplacez le beurre par une belle cuillerée à soupe de crème épaisse de Normandie, de crème fraîche, ou, pour ceux qui comptent les calories, de yaourt à la grecque — qui donne d'excellents résultats. Vous pouvez aussi ajouter du gruyère râpé sur la cuillerée de crème. Autres ingrédients gourmands : pointes d'asperge blanchies, blancs de poireau blanchis, émincé de saumon fumé ou un peu de haddock poché, effeuillé entre les doigts.

Œufs en cocotte aux cèpes ou aux morilles

J'adore réaliser cette recette avec des morilles séchées, que l'on trouve dans toutes les épiceries fines, mais les cèpes séchés conviennent également très bien.

4 personnes en entrée
4 gros œufs extra-frais
10 g de cèpes ou de morilles séchés
15 cl d'eau bouillante
3 échalotes pelées et finement hachées
110 g de champignons de Paris ouverts, grossièrement hachés
le quart d'une noix de muscade finement râpée
25 g de beurre
3 grosses cuillerées à soupe de crème fraîche, de crème allégée ou de yaourt à la grecque
sel, poivre noir du moulin

Vous aurez également besoin de quatre ramequins ou petits moules à soufflé en porcelaine de 7,5 cm de diamètre et de 4 cm de hauteur, généreusement beurrés, posés dans un plat métallique de 20 x 28 cm et de 5 cm d'épaisseur.

Préchauffez le four à 180 °C (th. 6).

Commencez par faire tremper les champignons séchés une demi-heure à l'avance. Dans un bol, couvrez-les de 15 cl d'eau bouillante et laissez-les reposer. Au bout de 30 minutes environ, égouttez-les dans une passoire et pressez-les pour éliminer l'excès d'eau (vous pouvez congeler cette eau, qui donne du goût aux soupes et aux sauces). Réservez 4 beaux morceaux de morille ou de cèpe et passez le reste au mixeur avec les échalotes, les champignons de Paris, sel, poivre du moulin et muscade râpée, jusqu'à obtention d'une pâte fine.

Faites chauffer le beurre dans une petite casserole. Quand il commence à mousser, ajoutez la pâte de champignons et, sur feu doux, faites cuire doucement à découvert pendant 25 à 30 minutes. Il s'agit de faire réduire le mélange par évaporation jusqu'à obtenir une consistance onctueuse.

Vous pouvez, bien sûr, réaliser à l'avance les étapes qui précèdent, mais, quand vous êtes prêt pour la recette proprement dite, préchauffez le four et faites bouillir de l'eau. Réchauffez doucement le mélange, incorporez-y 1 grosse cuillerée à soupe de crème fraîche ou de yaourt, et répartissez-le dans les quatre ramequins en creusant une dépression au milieu. Cassez un œuf dans chaque dépression, salez et poivrez. Battez légèrement le reste de la crème ou du yaourt, répartissez-le dans les ramequins à l'aide d'une cuillère ou d'une spatule à gâteau. Décorez chaque ramequin d'un morceau de champignon réservé, placez les ramequins dans le plat, glissez le plat à mi-hauteur du four, versez de l'eau bouillante dans le plat à mi-hauteur des ramequins et faites cuire au four de 15 à 18 minutes. Ces œufs cocotte sont délicieux accompagnés de pain complet grillé et beurré.

Tortilla (omelette espagnole)

2 ou 3 personnes
5 gros œufs
1 oignon moyen (environ 110 g)
275 g de petites pommes de terre charlotte
3 cuillerées à soupe d'huile d'olive
sel, poivre noir du moulin

Je trouve miraculeux que trois ingrédients si ordinaires, si bon marché — oignons, pommes de terre et œufs — puissent, une fois combinés, produire un plat si sublime. Ce n'est pourtant que la méthode espagnole pour réaliser une omelette. Elle n'est pas supérieure à la méthode française, et elle est beaucoup plus longue à réaliser, mais en ces temps de cuisine sophistiquée et prétentieuse, il est rassurant de savoir que la simplicité tient encore le haut du pavé. En effet, accompagnée d'un bon vin rouge et d'une salade, cette tortilla est un repas de luxe qui ne ruinera personne.

Il faut cuire doucement, à l'étouffée, les pommes de terre et les oignons. Après, on soulève de temps à autre le bord afin de lui donner une forme arrondie.

D'abord, quelques points importants. La taille de la poêle : pour deux ou trois personnes, 20 cm est un diamètre convenable. Si vous préparez une plus grande tortilla dans une grande poêle, celle-ci ne doit pas être trop lourde, car il faudra la retourner pour faire cuire l'autre côté. En l'absence d'une poêle en fer bien culottée, vous utiliserez une poêle antiadhésive. L'ustensile qui vous sauvera la vie : un grand couvercle plat, de diamètre légèrement supérieur à celui de la poêle.

La tortilla peut être servie au déjeuner. Elle est idéale en pique-nique, coupée en parts et enveloppée dans du film étirable. En Espagne, on la sert en tapas, taillée en dés piqués de cure-dents. Une merveille avec un jerez amontillado ! Les Espagnols la servent aussi en sandwich, ce qui est délicieux, quoique guère léger.

Pelez l'oignon, coupez-le en deux puis en fines demi-lunes. Pelez les pommes de terre avec un économe et taillez-les très vite en fines rondelles (elles ne doivent pas avoir le temps brunir à l'air). Essuyez soigneusement les tranches de pommes de terre dans un torchon propre pour les débarrasser de tout excès d'humidité.

Faites chauffer 2 cuillerées à soupe d'huile d'olive dans la poêle. Quand elle commence à fumer, ajoutez les pommes de terre et les oignons. Remuez-les soigneusement pour bien les enrober d'huile, puis, sur le feu le plus doux possible, salez et poivrez généreusement, couvrez la poêle et laissez les oignons et les pommes de terre cuire doucement pendant 20 minutes environ, ou jusqu'à ce qu'ils soient tendres. À mi-cuisson, retournez-les avec une spatule et, de temps à autre, secouez la poêle. Ils ne doivent pas dorer mais cuire doucement à l'étouffée, dans l'huile.

Pendant la cuisson, cassez les œufs dans un grand saladier et battez-les brièvement (pas trop longtemps, c'est important) à la fourchette.

Salez, poivrez. Lorsque les pommes de terre et les oignons sont cuits, versez-les dans le saladier et remuez bien pour les mélanger aux œufs battus.

Remettez la poêle sur feu moyen. Ajoutez le reste de l'huile d'olive. Mélangez encore le contenu du saladier avant de le verser dans la poêle. Baissez immédiatement le feu au maximum. Maintenant, oubliez tout ce que vous savez sur les omelettes classiques et soyez patient, parce que la cuisson va prendre de 20 à 25 minutes sur feu ultra-doux, à découvert. De temps à autre, soulevez avec une spatule les bords de l'omelette pour obtenir une forme arrondie et régulière. Lorsque l'œuf est presque totalement pris, y compris sur le dessus de la tortilla, posez le grand couvercle sur la poêle et renversez-la d'un coup. La tortilla repose désormais sur le couvercle. Remettez la poêle sur le feu, et, à l'aide d'une spatule à gâteau, détachez avec précaution l'omelette du couvercle pour la faire glisser dans la poêle. Faite cuire encore 2 minutes, puis retirez la poêle du feu et laissez l'omelette cuire encore 5 minutes dans la poêle. Elle doit être cuite mais encore moelleuse au cœur. Servez chaud ou à température ambiante, avec une salade et un verre de rioja. C'est un festin.

Omelette soufflée aux trois fromages et à la ciboulette

La préparation d'un soufflé peut relever de la haute voltige culinaire et se révéler frustrante, surtout si vous débutez. Mais l'omelette soufflée est un jeu d'enfant. En cinq minutes, c'est prêt, et honnêtement c'est aussi délicieux qu'un soufflé. Ici, je propose trois fromages, mais vous pouvez vous cantonner à deux, à un seul, voire à quatre si vous avez cela sous la main.

1 personne
3 gros œufs
25 g de cheddar affiné finement râpé
25 g de parmesan reggiano finement râpé
25 g de gruyère finement râpé
1 grosse cuillerée à soupe de ciboulette finement ciselée
10 g de beurre
sel, poivre noir du moulin

Il vous faudra également une poêle moyenne (17 cm de diamètre à la base) à fond épais.

Préchauffez le gril du four et préparez une assiette chaude.

Commencez par séparer les blancs des jaunes d'œufs dans un grand saladier très propre. Vous pouvez d'abord recueillir chaque blanc d'œuf dans un bol individuel avant de l'ajouter aux autres, ainsi vous ne risquerez pas de tache de jaune si vous en crevez un. Battez les jaunes d'œufs avec une fourchette en les salant et en les poivrant généreusement. Posez ensuite la poêle sur feu doux pour la faire chauffer.

Pendant ce temps, battez les blancs d'œufs en neige avec un fouet électrique ou à main. La neige doit être ferme mais sans excès. Faites doucement fondre le beurre dans la poêle, puis augmentez la chaleur. Vivement, à l'aide d'une cuillère métallique, incorporez les jaunes d'œufs aux blancs d'œufs tout en ajoutant le cheddar, la moitié du parmesan et la ciboulette.

Lorsque le beurre commence à fumer, versez tout le mélange dans la poêle et secouez celle-ci de quelques coups secs pour bien répartir les œufs. Faites cuire l'omelette exactement 1 minute, puis glissez une spatule à gâteau sous les bords pour les détacher, parsemez l'omelette du gruyère râpé et placez-la sous le gril à 10 cm de la source de chaleur. Laissez griller 1 minute, jusqu'à ce que le fromage soit fondu et légèrement doré. Retirez la poêle du gril, détachez de nouveau les bords avec la spatule, et approchez la poêle de l'assiette chauffée. Repliez l'omelette en deux et, en vous aidant de la spatule, glissez-la sur l'assiette. Saupoudrez du reste de parmesan et servez immédiatement.

Si vous désirez préparer cette omelette pour deux, doublez toutes les proportions. Utilisez alors une poêle de 23 à 26 cm de diamètre et comptez un peu plus de temps pour chaque étape de cuisson. Pour servir, coupez l'omelette en deux.

DENIS

Petits soufflés au roquefort à deux cuissons

Pouvoir s'y prendre à deux fois pour faire cuire un soufflé présente un intérêt évident. On peut commencer la préparation la veille, et le lendemain il gonfle comme par enchantement, merveille de légèreté et de saveur.

6 personnes
175 g de roquefort
22,5 cl de lait
1 tranche d'oignon de 5 mm d'épaisseur
1 feuille de laurier
un peu de muscade râpée
6 grains de poivre noir entiers
40 g de beurre
40 g de farine
4 gros œufs, blancs et jaunes séparés
15 cl de crème crue de Normandie
sel, poivre noir du moulin
6 brins de cresson pour décorer

Vous aurez également besoin de six ramequins ou petits moules à soufflé en porcelaine de 7,5 cm de diamètre et de 4 cm de hauteur, légèrement beurrés, d'un plat métallique de 20 x 28 cm et de 5 cm d'épaisseur, ainsi que d'une plaque à pâtisserie.

Préchauffez le four à 180 °C (th. 6).

Séparez les blancs des jaunes d'œufs. Recueillez les blancs dans un grand saladier très propre. Dans une casserole moyenne, réunissez le lait, la tranche d'oignon, le laurier, la muscade et les grains de poivre. Portez à frémissement, puis filtrez ce lait infusé dans un pichet. Nettoyez la casserole et faites-y fondre le beurre. Ajoutez la farine et faites cuire 3 minutes sur feu doux, en tournant jusqu'à l'obtention d'un roux clair et doré. Ajoutez alors petit à petit le lait chaud contenu dans le pichet, tout en fouettant vivement jusqu'à obtention d'une sauce épaisse. Salez légèrement et faites cuire encore 2 minutes sur le feu le plus doux possible, en remuant de temps à autre.

Retirez la casserole du feu et laissez refroidir quelques minutes. Incorporez ensuite les jaunes d'œufs un par un, en fouettant. Émiettez 110 g de roquefort et incorporez-les au mélange. Remuez jusqu'à dissolution presque complète du fromage. Portez de l'eau à ébullition dans une bouilloire et, par ailleurs, battez les blancs d'œufs en neige modérément ferme et incorporez-en 1 cuillerée à soupe dans la sauce au roquefort. Incorporez ensuite la sauce à la masse des blancs d'œufs à l'aide d'une cuillère métallique, en tournant et soulevant délicatement le mélange.

Répartissez cet appareil à soufflé dans les ramequins. Déposez ceux-ci dans le plat métallique, glissez celui-ci à mi-hauteur du four, versez 1 cm d'eau bouillante dans le plat et faites cuire les soufflés 20 minutes. À l'aide d'une spatule métallique, transférez-les sur une grille pour interrompre la cuisson et les laisser refroidir. Ne vous tracassez pas s'ils s'effondrent un peu, ils se relèveront à la seconde cuisson.

Lorsqu'ils sont presque entièrement refroidis, détachez les bords de chaque soufflé en glissant la lame d'un couteau rond contre les parois des ramequins. Avec précaution, retournez les ramequins et démoulez les soufflés sur la paume de votre main. Déposez ensuite chaque soufflé sur la plaque à pâtisserie légèrement beurrée. Vous pouvez alors les réserver jusqu'à 24 heures au réfrigérateur, en couvrant la plaque d'un film étirable.

Lorsque le moment est venu de terminer la cuisson des soufflés, préchauffez le four à 180 °C (th. 6), retirez les soufflés du réfrigérateur afin de les ramener à température ambiante. Coupez le roquefort restant en dés de 5 mm, parsemez-en la surface des soufflés, glissez la plaque un cran au-dessus de la mi-hauteur du four et faites cuire 30 minutes.

2 ou 3 minutes avant la fin de la cuisson, déposez sur chaque soufflé 1 cuillerée à soupe de crème et remettez-les au four quelques instants, le temps de faire asseoir vos invités. Servez immédiatement les soufflés sur des assiettes tièdes et garnissez chacune d'elles d'une branche de cresson.

2

Tartines, quiches et pizzas

Vous préférez acheter des quiches
et des pizzas toutes faites plutôt
que de vous risquer à les
confectionner vous-même…
Déculpabilisez : ce n'est en aucun
cas parce que vous n'avez pas les
capacités requises mais seulement
parce que personne ne vous
a enseigné l'art et la manière
de les réaliser. De fait, nos bases
culinaires nous ont rarement
été transmises par nos mères,
ces dernières ayant elles-mêmes
trop peu de temps à consacrer
à la cuisine. Il est temps
de remédier à cela et c'est
ce que nous allons faire ici.
En effet, il vous a bien fallu un
professeur pour vous enseigner à
nager, faire du vélo ou conduire,
toutes ces choses qui vous sont
désormais si familières.

Welsh Rabbit à l'oignon et à la sauge

Rarebit ou rabbit ? Les deux appellations coexistent. Je préfère la seconde, qui signifie « lapin » : on dit que ces savoureuses tartines galloises à la fondue de cheddar furent le repas d'un chasseur qui était rentré bredouille.

4 personnes, pour un déjeuner léger, ou 2 personnes en plat principal

4 grandes tranches bien épaisses de pain de mie blanc de bonne qualité
1 cuillerée à soupe de sauge fraîche ciselée
1 cuillerée à soupe d'oignon finement haché
225 g de cheddar affiné râpé
1 grosse cuillerée à café de moutarde anglaise en poudre (Colman's)
4 cuillerées à soupe de bière ambrée
1 gros œuf battu
1 cuillerée à café de sauce Worcestershire
1 pincée de cayenne

Il vous faudra également un plat à gril en métal muni d'une grille ou un plat à gratin en métal garni d'une feuille d'aluminium.

Préchauffez le gril du four.

Mélangez tous les ingrédients exceptés le pain et le cayenne. Placez les tranches de pain sous le gril et toastez-les des deux côtés jusqu'à ce qu'elles soient dorées mais non brûlées. Réservez-les sur une grille pendant 3 minutes pour qu'elles deviennent vraiment croustillantes. Répartissez le fromage en 4 portions, étalez-le sur les toasts — jusqu'aux bords, afin d'éviter que ceux-ci ne noircissent —, saupoudrez chaque toast d'un soupçon de cayenne. Glissez le tout sous le gril, à 7,5 cm environ de la source de chaleur, jusqu'à ce que le fromage soit bien doré et grésillant. Cette cuisson prend environ 4 à 5 minutes. Servez tel quel, ou avec une petite salade verte relevée d'une sauce bien vinaigrée.

Crostini Lazio

Ces petits croûtons italiens, grillés et frottés d'ail, peuvent recevoir toutes sortes de garnitures. Ici, j'ai choisi une pâte de thon et de fromage de chèvre aux câpres. Si vous ne trouvez pas les baies de câprier représentées sur la photo, utilisez simplement des câpres.

12 crostini, pour 4 à 6 personnes

Les crostini

1 baguette fine ou une ficelle fraîche, coupée en 12 tranches de 2,5 cm d'épaisseur environ, ou 3 tranches de pain de campagne au levain taillées en quartiers
3 cuillerées à soupe d'huile d'olive
1 grosse gousse d'ail pelée et écrasée

La garniture

110 g de fromage de chèvre à pâte ferme
110 g de thon à l'huile d'excellente qualité, égoutté. Réservez 1 cuillerée à soupe de l'huile.
1 cuillerée à soupe de câpres en saumure ou au vinaigre, soigneusement rincées et égouttées
1 cuillerée à soupe de parmesan finement râpé
1 cuillerée à soupe de jus de citron
12 baies de câprier au vinaigre ou 1 petite poignée de câpres pour le décor

Il vous faudra également une plaque à pâtisserie de 26 x 35 cm environ. Préchauffez le four à 180 °C (th. 6).

Arrosez légèrement la plaque d'huile d'olive, parsemez-la d'ail écrasé, puis enduisez la plaque de ces ingrédients avec la paume de la main. Déposez le pain sur la plaque et retournez les tranches afin de les imbiber d'huile à l'ail. Faites cuire le tout 10 à 15 minutes au four, jusqu'à ce que les croûtons soient dorés et croustillants. N'oubliez pas de minuter la cuisson, car ces croûtons ont tendance à noircir vite.

Retirez la croûte ou la surface du chèvre avec un couteau tranchant, et divisez le fromage en quatre morceaux. Réunissez tous les ingrédients restants, y compris l'huile non utilisée, dans le bol d'un mixeur et réduisez en une pâte fine. Si vous réalisez cette étape à l'avance, mettez la pâte dans un récipient à fermeture hermétique et réservez-la au réfrigérateur. Tartinez-en les crostini au dernier moment et décorez d'une baie de câprier si vous en disposez.

Bruschetta

12 bruschette, pour 4 à 6 personnes
1 ou 2 pièces de ciabatta (selon leur taille), taillées en 12 fines tranches
1 gousse d'ail pelée et frottée sur une petite quantité de sel
6 cuillerées à soupe d'huile d'olive extra-vierge
fleur de sel

Il vous faudra également un gril côtelé en fonte.

La bruschetta est une tartine toscane d'un genre bien particulier. La première fois que j'en ai goûté sur place, ce fut une de mes plus inoubliables expériences gastronomiques. Un pain de campagne italien est tranché, les deux faces de chaque tranche sont saisies sur des braises, puis l'on pratique quelques incisions sur la surface de chaque toast et on la frotte d'une gousse d'ail coupée en deux. Ensuite, on verse généreusement sur le tout une bonne huile d'olive extra-vierge que le pain absorbe et qui coule librement sur l'assiette. Ultrasimple, mais le plaisir que l'on éprouve à déguster ce pain croustillant et aromatique est indescriptible. Nous n'avons pas souvent des braises ardentes sous la main (ce qui n'est pas une raison pour oublier la bruschetta pendant la saison des barbecues). Un gril côtelé en fonte fera l'affaire, ou, à défaut, le gril du four.

Commencez par faire chauffer le gril en fonte sur feu vif pendant 10 minutes. Quand il est bien chaud, placez-y les tranches de pain en biais et faites-les griller 1 minute de chaque côté, jusqu'à ce qu'elles soient dorées et marquées de lignes noires parallèles. (Vous pouvez aussi les faire griller sous le gril du four.) À mesure qu'elles sont prêtes, pratiquez trois incisions sur chaque face avec un couteau tranchant, frottez chaque face d'ail et arrosez chaque tranche grillée d'environ 1/2 cuillerée à soupe d'huile d'olive. Saupoudrez de fleur de sel et servez immédiatement.

Bruschetta à la tomate et au basilic

12 bruschette, pour 4 à 6 personnes
6 tomates olivettes (roma) bien mûres et bien rouges
quelques feuilles de basilic frais
quelques gouttes d'huile d'olive extra-vierge
fleur de sel, poivre noir du moulin

Un bon pain, une bonne huile d'olive, que désirer de plus ? Peut-être encore deux choses, mais pas plus : des tomates mûres et bien rouges, et quelques feuilles de basilic. Cette bruschetta est probablement la meilleure de toutes, par exemple servie à l'apéritif en guise d'entrée.

Avant de griller le pain, préparez les tomates. Il suffit de les couvrir d'eau bouillante dans un saladier, de les y laisser 1 minute exactement avant de les égoutter et de retirer les peaux (mettez des gants pour ne pas vous ébouillanter). Ensuite, concassez-les finement.

Lorsque les tranches de pain pour la bruschetta sont grillées (voir recette ci-dessus), couvrez-les de tomates concassées et de feuilles de basilic grossièrement déchirées, saupoudrez de fleur de sel et de poivre noir du moulin et arrosez de quelques gouttes d'huile d'olive supplémentaires avant de servir. Les choses les plus simples sont souvent les plus délicieuses.

Bruschetta à la tomate et au basilic.

Croque-monsieur

1 personne
2 grandes tranches beurrées de pain de mie d'excellente qualité
50 g de gruyère finement râpé
2 ou 3 tranches de jambon cuit fumé, de jambon de Parme ou de jambon de Paris finement tranché
10 g de beurre fondu
1 cuillerée à dessert de parmesan finement râpé
sel, poivre noir du moulin

Préchauffez le gril du four.

Voici ma version de ce classique parisien, un des en-cas les plus savoureux que je connaisse.

C'est d'une simplicité enfantine. Sur une tranche de pain beurrée, étalez la moitié du gruyère, couvrez de la moitié du jambon en repliant celui-ci de façon à ce qu'il ne dépasse pas des bords du pain. Couvrez le jambon du reste de gruyère, salez, poivrez, déposez sur le tout la seconde tranche de pain beurré et appuyez fermement sur le sandwich avec la main. Retirez la croûte si vous le désirez, mais je trouve qu'elle apporte du croustillant. Badigeonnez la surface du sandwich de la moitié du beurre fondu, saupoudrez de la moitié du parmesan, pressez pour faire adhérer le fromage. Placez le croque-monsieur sous le gril et faites griller 2 minutes à 5 cm de la source de chaleur. Lorsque la surface est bien dorée, retournez le croque-monsieur, badigeonnez-le du reste de beurre fondu, saupoudrez du reste de parmesan et faites griller encore 2 minutes. Retirez du gril, coupez en quartiers et dégustez tant que ça croustille.

Croque-monsieur à la tomate et au chili

Cette version végétarienne du croque-monsieur se prépare avec du tomato-chili relish, mais si vous n'en trouvez pas, utilisez du ketchup pimenté ou du chutney de tomate (que vous trouverez dans les épiceries fines).

1 personne
2 grandes tranches beurrées de pain de mie d'excellente qualité
2 grosses cuillerées à café de chutney de tomate ou de ketchup additionné d'un peu de sauce chili
50 g de gruyère râpé
la moitié d'un petit oignon taillée en tranches fines
10 g de beurre fondu
25 g de parmesan finement râpé
sel, poivre noir du moulin

Préchauffez le gril du four.

Tartinez chaque tranche de pain de 1 cuillerée à café de condiment à la tomate. Couvrez une des tranches de gruyère râpé, ajoutez les tranches d'oignon, salez, poivrez, recouvrez de la seconde tranche de pain.

Badigeonnez la surface du sandwich de la moitié du beurre fondu, saupoudrez de la moitié du parmesan, pressez pour faire adhérer le fromage. Placez le sandwich sous le gril et faites griller 2 minutes à 5 cm de la source de chaleur. Lorsque la surface est bien dorée, retournez le croque-monsieur, badigeonnez-le du reste de beurre fondu, saupoudrez du reste de parmesan et faites griller encore 2 minutes. Retirez du gril, coupez en quartiers et dégustez sans attendre.

Croque-monsieur.

Pâte à pizza

La pâte à pizza se prépare à peu près comme la pâte à pain : à la main ou au robot, mais on y ajoute un peu d'huile d'olive et de sucre, et il n'y a pas de seconde poussée. Pourquoi ne pas doubler les quantités de la recette et en congeler une partie ? Il suffit, après avoir fait lever la pâte, de la rabattre, de la glisser dans un sac en plastique, d'en chasser l'air et de le mettre au congélateur une fois scellé.

2 personnes – pour une pizza de 26 cm de diamètre
175 g de farine type 55
1 cuillerée à café de sel fin
1 cuillerée à café de levure de boulangerie en poudre
1/2 cuillerée à café de sucre semoule
1 cuillerée à soupe d'huile d'olive
12 cl d'eau tiède
de 2 à 3 cuillerées à soupe de polenta pour étaler la pâte

Il vous faudra également une plaque à pâtisserie épaisse de 28 x 35 cm ou une pierre à pizza.

Préchauffez le four à sa température la plus basse.

Faites chauffer la farine à four doux pendant 10 minutes, puis éteignez le four. Tamisez la farine, le sel, la levure et le sucre dans un grand saladier et creusez un trou au centre du mélange. Versez-y l'eau tiède et l'huile. À l'aide d'une cuillère en bois, mélangez le tout, puis, lorsque la pâte commence à s'amalgamer, pétrissez-la avec vos mains jusqu'à ce qu'elle ne colle plus à vos doigts et se détache des parois du récipient. Renversez-la alors sur un plan de travail en recueillant tous les petits bouts de pâte qui resteraient dans le saladier. Pétrissez pendant 3 minutes environ, ou jusqu'à ce que la pâte devienne lisse, satinée, souple et élastique. Vous devez voir des bulles d'air apparaître sous la surface. À ce moment-là, faites reposer la pâte sous le saladier retourné ou dans le saladier recouvert d'un film alimentaire huilé sur sa face inférieure. Laissez la pâte lever jusqu'à ce qu'elle ait doublé de volume, ce qui prend environ 1 heure à température ambiante.

Un quart d'heure avant que la pâte ait fini de lever, portez la température du four à 230 °C (th. 8-9) et placez-y la pierre à pizza si vous vous en servez. Renversez la pâte sur un plan de travail saupoudré de polenta qui l'empêchera de coller, rabattez-la pour chasser l'air et pétrissez-la encore quelques secondes, le temps de la façonner en boule. Saupoudrez votre rouleau de polenta et abaissez la boule de pâte en un disque de 26 cm de diamètre. Finissez de l'étirer avec les paumes de vos mains, en appuyant à partir du centre. La pizza n'a pas besoin d'être parfaitement ronde, mais il faut qu'elle soit assez fine, avec des bords légèrement plus épais. Votre pizza est alors prête à être garnie.

Dès que la pâte a doublé de volume, retirez le film étirable. Renversez la pâte sur le plan de travail et rabattez-la pour chasser les bulles d'air. Pétrissez-la brièvement sur une fine couche de polenta et façonnez-la en boule.

Pizza aux quatre fromages

L'affinité entre le pain chaud et le fromage fondu est célèbre à juste titre ; cette pizza en est l'un des meilleurs exemples. Vous pouvez, bien entendu, choisir d'autres fromages que ceux proposés, mais cette combinaison est de loin, la plus savoureuse.

2 personnes – pour une pizza de 26 cm de diamètre

1 fond de pâte à pizza (voir recette précédente)
60 g de ricotta
50 g de mozzarella taillée en tranches de 2,5 cm d'épaisseur
50 g de gorgonzola piccante, taillé en tranches de 2,5 cm d'épaisseur
25 g de parmesan reggiano fraîchement râpé
un peu de polenta pour étaler la pâte

Préchauffez le four à 230 °C (th. 8-9) et placez-y la plaque ou la pierre à pizza pendant que vous étalez la pâte.

Préparez le fond de pizza comme indiqué à la recette précédente. Ensuite, en protégeant vos mains de gants épais, retirez avec précaution la pierre ou la plaque du four. Déposez-la sur un plan supportant la chaleur et saupoudrez la surface d'un peu de polenta. Toujours avec précaution, soulevez le fond de pizza et déposez-le sur la pierre ou la plaque. Répartissez-y rapidement quelques cuillerées de ricotta. Entre celles-ci, disposez les tranches de mozzarella et de gorgonzola, et enfin saupoudrez de parmesan. Glissez la pierre ou la plaque au four en position élevée, faites cuire de 10 à 12 minutes jusqu'à ce que la pâte soit dorée et le fromage bien grésillant. Soulevez légèrement le bord pour vérifier qu'il est doré et croustillant. Toujours avec des gants, retirez la plaque ou la pierre avec précaution, découpez la pizza et servez-la immédiatement sur des assiettes chauffées.

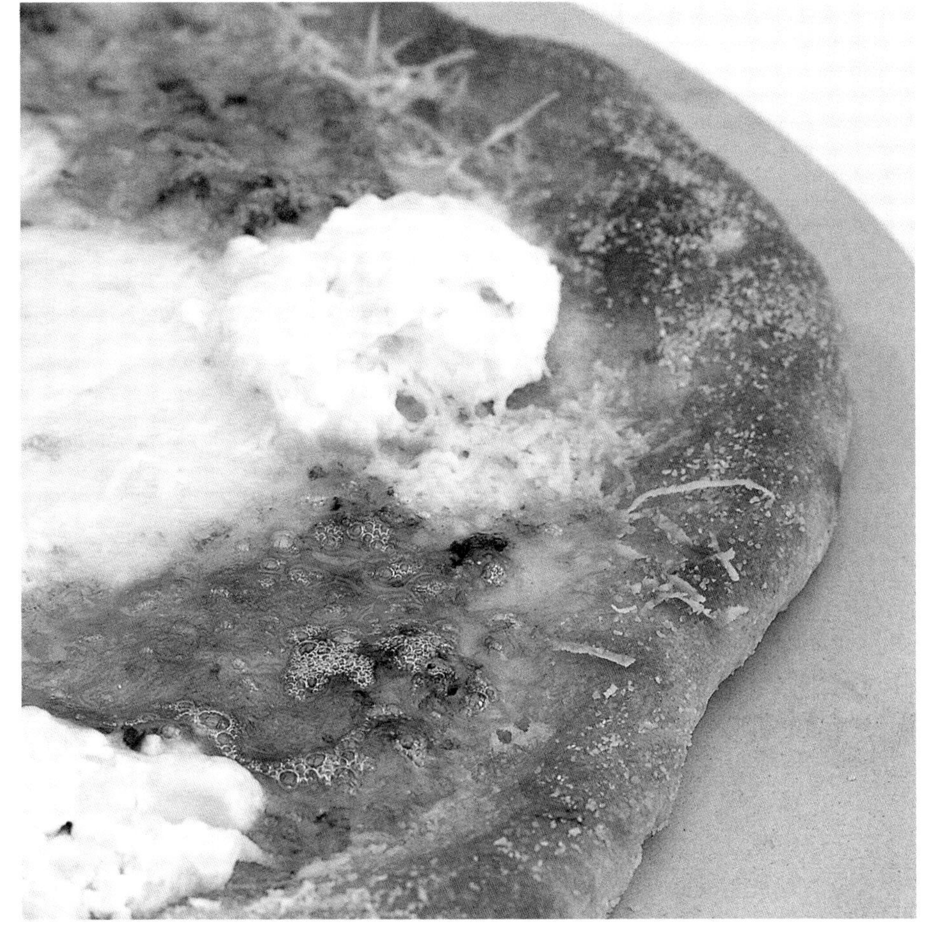

Pizza quatre saisons

2 personnes – pour une pizza de 26 cm de diamètre
1 fond de pâte à pizza (voir recette page 44)
1 grosse cuillerée à soupe de pâte de tomate séchée
75 g de jambon de Parme (4 tranches environ)
150 g de mozzarella coupée en dés ou en tranches
110 g de petites tomates (3 environ) coupées en tranches fines
50 g de petits champignons de Paris, ouverts, taillés en tranches fines
1 grosse cuillerée à soupe de câpres en saumure ou au vinaigre, rincées et égouttées
8 olives noires dénoyautées et coupées en deux
4 filets d'anchois à l'huile, égouttés et taillés en deux dans le sens de la longueur
quelques feuilles de basilic trempées dans l'huile d'olive et grossièrement déchirées, plus quelques feuilles pour la garniture
2 cuillerées à soupe d'huile d'olive

À l'origine, la garniture de cette pizza était distribuée en quatre sections distinctes, représentant chaque saison de l'année, mais comme cette recette est prévue pour deux personnes il est préférable de la répartir plus équitablement.

Préparez le fond de pizza comme indiqué page 44, puis étalez-y la pâte de tomate séchée jusqu'au bord du disque de pâte. Soulevez celui-ci avec précaution et déposez-le sur la pierre chaude ou sur la plaque. Couvrez la pâte des tranches de jambon, en les repliant au besoin, répartissez sur toute la surface les dés ou les tranches de mozzarella, les tomates, les champignons, les câpres et les olives.

Décorez enfin avec les filets d'anchois effilés, en les entrecroisant, et avec les feuilles de basilic. Arrosez d'un filet d'huile d'olive et faites cuire au four, en position élevée, pendant 10 à 12 minutes, jusqu'à ce que la pâte soit dorée et croustillante. Juste avant de servir, parsemez du basilic restant.

La pizza quatre saisons : à gauche avant cuisson, à droite sortant du four.

Crumpet pizza aux deux fromages et à la sauge

Des crumpets en pizza ? C'est tout à fait logique. Ces petits pains anglais légers et moelleux, criblés de trous, absorbent et retiennent le fromage fondu et mettent en valeur toute garniture. Comme ils sont petits, on peut entasser les ingrédients en pyramide, ce qui produit un effet visuel très gourmand. Les crumpets se trouvent aisément en grande surface et dans les épiceries fines.

4 personnes pour un repas sur le pouce,
2 personnes en plat principal
4 crumpets
175 g de gorgonzola taillé en dés
50 g de mozzarella taillée en dés
50 g de noix grossièrement concassées
12 feuilles de sauge fraîche
1 cuillerée à soupe d'huile d'olive

Préchauffez le gril du four.

Commencez par toaster légèrement les crumpets sous le gril en les plaçant très près de la source de chaleur (1 minute de chaque côté). Quand ils sont légèrement dorés, mettez-les sur une plaque à pâtisserie, dressez les dés de gorgonzola et de mozzarella en pyramide sur chaque crumpet, garnissez des noix. Trempez les feuilles de sauge dans l'huile d'olive et disposez-les comme indiqué sur la photo. Placez les crumpets garnis sous le gril du four, mais cette fois à 13 cm de la source de chaleur, et laissez griller 5 minutes. Au bout de ce temps, le fromage aura fondu, les noix seront grillées et les feuilles de sauge croustillantes. Servez immédiatement.

Vous pouvez inventer d'autres garnitures selon ce principe, qui peut être adapté à pratiquement tout ce que vous avez sous la main.

Pâte brisée

110 g de farine (plus un peu pour étaler la pâte)
1 pincée de sel
25 g de saindoux à température ambiante
25 g de beurre ramolli
un peu d'eau glacée

Tamisez la farine et le sel dans un grand saladier, ajoutez le beurre et le saindoux ramollis. S'ils sont trop durs, ils seront difficiles à incorporer.

Tamisez la farine avec le sel dans un grand saladier, en élevant bien le tamis afin d'aérer les ingrédients. Ajoutez le saindoux et le beurre coupés en petits morceaux, puis incorporez ces éléments à la farine avec la lame d'un couteau jusqu'à ce qu'ils soient parfaitement incorporés. Servez-vous alors du bout de vos doigts pour émietter et amalgamer les ingrédients. Il faut avoir la main légère : soulevez le mélange par pincées, élevez-le au-dessus du saladier et faites-le tomber pour aérer le tout.

Lorsque le mélange a pris un aspect sableux, avec quelques grumeaux çà et là, arrosez-le de 1 cuillerée d'eau glacée, reprenez le couteau pour travailler la pâte en amalgamant les ingrédients et la ramasser en boule. Terminez cette opération du bout des doigts. Ajoutez très peu d'eau au fur et à mesure. Lorsque vous avez ajouté suffisamment d'eau, la pâte doit former une boule homogène et les parois du saladier doivent être relativement nettes. Si ce n'est pas le cas, ajoutez quelques gouttes d'eau. Glissez la pâte dans un sac en plastique et faites-la reposer 30 minutes au réfrigérateur.

Cette recette vous fournira 175 g de pâte brisée, une quantité suffisante pour un moule à tarte ou à quiche de 20 cm. Augmentez les proportions selon la taille du moule que vous utilisez.

Incorporez le beurre et le saindoux à la farine, puis malaxez du bout des doigts jusqu'à obtention d'un mélange grumeleux.

Ajoutez le liquide en le répartissant sur tout le mélange, puis recommencez à amalgamer avec le couteau.

Enfin, ramassez la pâte en boule avec vos mains, en ajoutant un peu de liquide si nécessaire.

Instructions pour les flans, les quiches et les tartes

Comment foncer un moule

Lorsque votre pâte est étalée à la bonne dimension, placez le rouleau au-dessus du centre de l'abaisse, enroulez celle-ci autour du rouleau, puis soulevez le rouleau et déroulez la pâte au-dessus du moule. Du bout des doigts, appuyez doucement sur la pâte pour lui faire épouser la forme du moule. Si, en la soulevant avec le rouleau, vous avez constaté que la pâte s'est étirée, pas d'inquiétude : vous arrangerez cela avec vos doigts en fonçant le moule, en particulier sur les bords : ramenez un peu de pâte dépassant des bords vers l'intérieur du moule, ce qui équivaut à renforcer les bords et à assouplir le fond de tarte. En effet, s'il est trop étiré, il rétrécira à la cuisson. Une fois le moule foncé, parez les bords avec un couteau, et pincez-les pour les égaliser. La pâte doit dépasser du bord du moule de 5 mm.

La cuisson à blanc

Ne vous compliquez pas la vie avec des haricots, du papier sulfurisé ou des poids à pâtisserie. Si vous avez correctement foncé votre moule comme indiqué ci-dessus, il ne vous reste qu'à piquer le fond avec une fourchette sur toute sa surface, ce qui empêchera l'air de s'accumuler sous la pâte et de la soulever. Badigeonnez le fond de tarte d'un peu d'œuf battu : ce revêtement imperméable gardera la pâte croustillante même après l'ajout de la garniture. Le plus souvent il est possible de prendre cette quantité d'œuf battu sur celle qui entre dans la composition de la garniture.

Le four

Il faut le préchauffer et y glisser, sur une grille placée au centre, une plaque à pâtisserie bien épaisse. Déposez-y le moule garni et faites-le cuire de 20 à 25 minutes à blanc, jusqu'à ce que la pâte soit uniformément dorée. Il n'est pas inutile de jeter un coup d'œil au bout de 10 à 15 minutes.

Pour démouler la tarte, déposez le moule garni sur une boîte de conserve, détachez la pâte du moule avec la pointe d'un couteau et retirez le cercle extérieur du moule.

Glissez la pâte dans un sac en plastique et réservez-la 30 minutes au réfrigérateur. Cela facilitera l'abaissage.

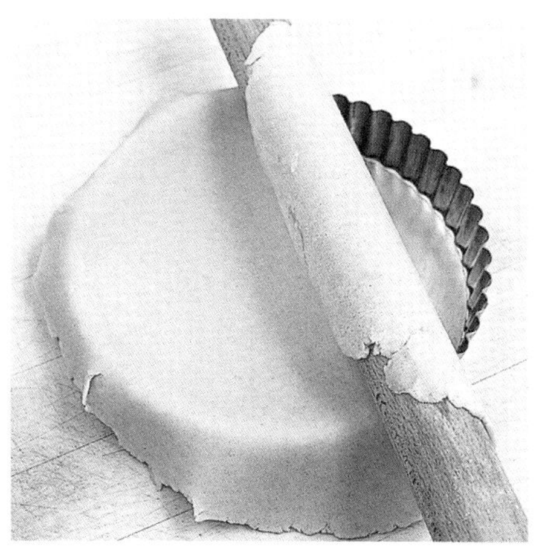

Une fois abaissée, la pâte doit être enroulée autour du rouleau et déposée sur le moule, puis pressée contre celui-ci avec les doigts.

Enfin, piquez le fond avec une fourchette sur toute la surface afin d'éviter les bulles d'air. Badigeonnez le tout d'œuf battu.

Tarte au chèvre et aux poireaux

C'est une tarte crémeuse, moelleuse et pleine de saveur. Les poireaux s'allient parfaitement au fromage de chèvre, et j'ai inclus un peu de fromage dans la pâte pour lui donner un supplément de goût.

6 personnes en entrée, 4 personnes en plat principal

La pâte
25 g de fromage de chèvre à pâte ferme, débarrassé de sa croûte
110 g de farine (plus un peu pour étaler la pâte)
1 pincée de sel
25 g de saindoux à température ambiante
25 g de beurre ramolli
un peu d'eau glacée

La garniture
625 g de poireaux (350 g de poids nettoyé; voir les instructions de la recette)
175 g de fromage de chèvre à pâte ferme, débarrassé de sa croûte
10 g de beurre
3 gros œufs battus
20 cl de crème fraîche
4 oignons nouveaux parés et taillés en tranches fines (gardez quelques centimètres de vert)
sel, poivre noir du moulin

Il vous faudra également un moule à quiche à bord cannelé de 20 cm de diamètre et de 3 cm de profondeur, à fond amovible, très légèrement beurré, ainsi qu'une plaque à pâtisserie en métal épais.

Tamisez la farine avec le sel dans un grand saladier, en élevant bien le tamis afin d'aérer les ingrédients. Ajoutez le saindoux et le beurre, puis, du bout des doigts, incorporez ces éléments à la farine en soulevant le mélange par pincées et en le faisant retomber de haut. Lorsque le mélange a pris un aspect sableux, râpez-y grossièrement le fromage de chèvre et arrosez d'un peu d'eau glacée (1 cuillerée à soupe environ). Mélangez la pâte d'abord avec la lame d'un couteau, puis avec vos doigts, en ajoutant très peu d'eau jusqu'à obtention d'une pâte lisse qui laisse nettes les parois du saladier. Réservez la pâte 30 minutes au réfrigérateur dans un sac en plastique. Préchauffez le four à 190 °C (th. 6-7) et faites-y chauffer la plaque à pâtisserie placée au centre du four.

Occupez-vous des poireaux. Éliminez une partie du vert, fendez les poireaux et lavez-les soigneusement sous l'eau courante. Égouttez-les, taillez-les en deux dans le sens de la longueur puis émincez-les en tranches de 1 cm.

Faites chauffer le beurre sur feu doux dans une poêle moyenne, ajoutez les poireaux et salez légèrement. Remuez bien et faites cuire à découvert, sur feu doux, pendant 10 à 15 minutes ou jusqu'à ce qu'ils commencent à suer. Versez-les dans une passoire, couverts d'une petite assiette, pour éliminer le jus. Appuyez sur l'assiette pour bien les égoutter.

Retirez la pâte du réfrigérateur et abaissez-la sur un plan de travail légèrement fariné. Donnez-lui un quart de tour plusieurs fois au cours de l'abaissage afin d'obtenir un disque bien rond et bien égal, aussi fin que possible. Enroulez-le sur le rouleau et déposez-le sur le moule. Pressez du bout des doigts, façonnez bien les bords en y ramenant la pâte qui dépasse afin d'éviter l'étirement. Taillez les bords avec un couteau, pincez les bords pour les faire dépasser de 5 mm, puis piquez le fond de tarte avec une fourchette. Prélevez un peu d'œuf battu réservé à la garniture afin d'en badigeonner le fond de tarte. Mettez le fond de tarte au four et faites-le cuire 20 à 25 minutes à blanc, jusqu'à ce que la pâte soit dorée et croustillante. Vérifiez sa cuisson au bout de 10 minutes. Si elle se soulève, piquez-la à nouveau avec une fourchette et aplatissez-la.

Pendant ce temps, émiettez le fromage de chèvre et mélangez-le délicatement aux poireaux contenus dans le tamis. Dans un pichet, réunissez les œufs battus, la crème fraîche, un peu de sel (il y en a déjà dans la garniture) et une bonne quantité de poivre noir du moulin. Battez le tout. Dès que le fond de tarte est prêt, retirez-le du four, répartissez-y la garniture et parsemez d'oignons nouveaux émincés. Versez sur le tout, délicatement et régulièrement, la moitié du contenu du pichet, remettez la tarte au four sur la grille à demi sortie, versez le reste du contenu du pichet, poussez doucement la grille et refermez la porte du four. Faites cuire encore de 30 à 35 minutes, jusqu'à ce que la garniture soit cuite et dorée. Retirez la tarte du four et faites-la reposer 10 minutes avant de la servir. Ces 10 minutes sont importantes : elles facilitent le découpage.

Le meilleur moyen de démouler cette tarte est de détacher les bords avec la pointe d'un couteau, de la déposer sur une boîte de conserve qui vous permettra de retirer le cercle extérieur du moule. Pour retirer le fond métallique, insérez une spatule à pâtisserie entre le fond et la pâte et glissez la tarte sur un plat. Vous pouvez également découper et servir directement dans le moule, surtout si vous utilisez un moule en porcelaine.

Tarte au chèvre et aux poireaux ; ci-dessus, sortant du four, et avant cuisson sur la page de gauche.

Tarte au saumon fumé en croûte au parmesan

Cette tarte est plus compacte que la précédente, et la garniture y est abondante. Les arômes distincts des poissons fumés constituent une symphonie savoureuse, soutenue par la touche acidulée des câpres et des cornichons.

6 à 8 personnes en entrée,
4 à 6 personnes en plat principal

La pâte
25 g de parmesan fraîchement râpé
110 g de farine, plus un peu pour étaler la pâte
1 pincée de sel
25 g de saindoux à température ambiante
25 g de beurre ramolli
un peu d'eau glacée

La garniture
225 g de filet de haddock fumé véritable (pas de cabillaud coloré), débarrassé de sa peau
110 g de filets de harengs fumés doux
250 g de chutes de saumon fumé
5,5 cl de lait
1 feuille de laurier
1 pincée de macis en poudre
2 gros œufs entiers + 2 jaunes
un peu de muscade râpée
20 cl de crème fraîche
1 cuillerée à dessert de câpres en saumure ou au vinaigre, rincées et égouttées
2 cornichons finement hachés
poivre du moulin

Il vous faudra également un moule à quiche à bord cannelé de 20 cm de diamètre et de 3 cm de profondeur, très légèrement beurré, ainsi qu'une plaque à pâtisserie en métal épais.

Tamisez la farine avec le sel dans un grand saladier, en élevant bien le tamis afin d'aérer les ingrédients. Ajoutez le saindoux et le beurre, puis, du bout des doigts, incorporez ces éléments à la farine en soulevant le mélange par pincées et en le faisant retomber de haut. Lorsque le mélange a pris un aspect sableux, ajoutez le parmesan et arrosez d'un peu d'eau glacée (1 cuillerée à soupe environ). Mélangez la pâte d'abord avec la lame d'un couteau, puis avec vos doigts, en ajoutant très peu d'eau jusqu'à obtention d'une pâte lisse qui laisse nettes les parois du saladier. Réservez la pâte 30 minutes au réfrigérateur dans un sac en plastique. Préchauffez le four à 190 °C (th. 6-7), placez la plaque à pâtisserie au centre du four et faites-la chauffer.

Retirez la pâte du réfrigérateur et abaissez-la sur un plan de travail légèrement fariné. Donnez-lui un quart de tour plusieurs fois au cours de l'abaissage afin d'obtenir un disque bien rond et bien égal, aussi fin que possible. Enroulez-le sur le rouleau et déposez-le sur le moule. Pressez du bout des doigts, façonnez bien les bords en y ramenant la pâte qui dépasse afin d'éviter l'étirement. Taillez les bords avec un couteau, pincez les bords pour les faire dépasser de 5 mm, puis piquez le fond de tarte avec une fourchette. Prélevez un peu d'œuf battu réservé à la garniture afin d'en badigeonner le fond de tarte. Mettez le fond de tarte au four et faites-le cuire 20 à 25 minutes à blanc, jusqu'à ce que la pâte soit dorée et croustillante. Vérifiez sa cuisson au bout de 10 minutes. Si elle se soulève, piquez-la à nouveau avec une fourchette et aplatissez-la.

Lorsque le fond de tarte est cuit, retirez-le du four et baissez la température de celui-ci à 170 °C (th. 5-6).

Préparez la garniture. Réunissez, dans une casserole moyenne, le haddock, le hareng, le lait, le laurier et le macis. Portez à frémissement, couvrez et faites pocher 2 minutes sur feu très doux. Retirez le poisson avec une écumoire. Éliminez le laurier, mais gardez le lait.

Fouettez légèrement les œufs et les jaunes en ajoutant poivre du moulin et muscade, mais pas de sel – le poisson en contient déjà. Faites chauffer à part le lait réservé en y incorporant, au fouet, la crème fraîche. Lorsque ce mélange commence à frémir, versez-le sur les œufs battus en fouettant bien.

Effeuillez le haddock et émiettez grossièrement le hareng en morceaux de 1 cm environ. Répartissez le tout sur le fond de tarte avec les chutes de saumon fumé. Parsemez de câpres et de cornichons hachés, puis ajoutez avec précaution la moitié du mélange crème-œufs-lait, petit à petit, en laissant le liquide se répartir entre chaque ajout. Glissez la tarte sur la grille du four à demi sortie, versez-y le reste du liquide, remettez la tarte au four et faites-la cuire de 30 à 35 minutes jusqu'à ce que sa surface soit dorée et que le centre résiste sous le doigt.

Au sortir du four, laissez reposer la tarte 10 minutes, ce qui facilitera le découpage. Détachez les bords avec un couteau pointu, posez le moule sur une boîte de conserve et retirez le cercle extérieur. Insérez une palette métallique entre le fond et la pâte, et faites glisser la tarte sur un plat de service. Vous pouvez également présenter le moule à table, surtout si ce dernier est en porcelaine.

Tarte aux poissons fumés en croûte au parmesan : à gauche, au sortir du four ; ci-dessous, avant cuisson.

Pâte semi-feuilletée rapide et facile

Les chefs expérimentés et les pâtissiers professionnels savent confectionner des feuilletages, des pâtes feuilletées parfaites, de vraies pâtes à millefeuille. L'opération, longue et minutieuse, consiste à replier plusieurs fois une abaisse de pâte sur une couche de beurre de même épaisseur et de même consistance afin de faire lever à la cuisson les feuilles de pâte ainsi réalisées sous l'action de la vapeur d'eau. Un temps de repos est observé entre chaque opération de pliage et d'abaissage, appelée « tourage ». C'est un travail long et minutieux peu indiqué pour la majorité d'entre nous qui ne pouvons pas nous enfermer dans notre cuisine pendant des heures en laissant le monde extérieur s'agiter sans nous. Mais tout n'est pas perdu : il existe une version rapide et facile de cette recette, qui donne des résultats croustillants et aériens. Si vous fermez les yeux, vous verrez qu'il n'y a pas de différence au goût entre 50 ou 100 feuilles. C'est vraiment de la triche, car toutes les opérations de repliage et de tourage en sont absentes, mais c'est une délicieuse pâte maison entièrement préparée au beurre, d'une texture et d'une saveur uniques, mais qui n'exige ni des trésors de temps ni des années d'expérience culinaire, je peux vous l'assurer. Le secret consiste à râper du beurre partiellement congelé, puis à le mélanger à de la farine (pas la peine de l'incorporer avec les doigts). C'est tout simple, mais les résultats sont spectaculaires.

Que doit être une pâte feuilletée ? Quelque chose d'aussi croustillant et léger que possible, susceptible d'être abaissée à une finesse parfois presque impalpable. Même si vous ne croyez pas qu'une telle merveille soit à votre portée, je vous promets que vous serez si satisfait du résultat que vous en préparerez bientôt la valeur de quatre recettes, que vous conserverez au congélateur pour les urgences.

Vos armes secrètes dans ce feuilletage « triché » : un peu de beurre congelé et une râpe à gros trous.

La farine doit toujours être blanche, pure, tamisée. Le tamis doit être élevé à bout de bras afin que la farine tombe en pluie, bien aérée, dans un grand saladier. J'ai déjà mentionné ce détail, mais il vaut d'être rappelé : l'ingrédient le plus important en pâtisserie, c'est l'air. Tamiser ainsi la farine, c'est l'aérer de façon adéquate.

Le beurre, parce qu'il doit être grossièrement râpé, doit être congelé presque à son point de dureté maximale. Vous devez donc mesurer la quantité requise, l'envelopper dans une feuille d'aluminium et la réserver de 30 à 45 minutes au congélateur, opération que l'on appelle « bloquer ». S'il est trop mou, vous n'arriverez pas à le râper correctement.

Le repos : comme toutes les pâtes, la pâte feuilletée doit reposer après confection, 30 minutes au réfrigérateur dans un sac en plastique.

La cuisson doit se faire au four correctement préchauffé, à température assez élevée; en effet, la pâte est riche en matière grasse et doit être saisie afin que l'interaction beurre-farine s'accomplisse vite. Ainsi, vous obtenez l'effet léger et croustillant que vous désirez.

La pâte
110 g de beurre
175 g de farine
1 pincée de sel
un peu d'eau glacée

La texture n'est pas tout à fait celle d'un feuilletage professionnel. N'espérez pas que la pâte s'élève à des hauteurs vertigineuses. Elle sera légère et feuilletée juste ce qu'il faut.

Pour réaliser cette pâte, pesez d'abord 110 g de beurre, enveloppez-les dans une feuille d'aluminium et placez-les au congélateur où vous les réserverez de 30 à 45 minutes.

Lorsque vous êtes prêt à continuer la recette, tamisez la farine avec le sel dans un grand saladier. Sortez le beurre du congélateur, rabattez l'aluminium et râpez le beurre, en le maintenant par sa partie encore couverte, sur une râpe à gros trous au-dessus de la farine. Plusieurs fois au cours du râpage, trempez le beurre dans la farine pour le râper plus facilement. Vous obtenez enfin un gros tas de beurre râpé au milieu de la farine. Prenez alors une palette fine à pâtisserie et servez-vous en pour incorporer le beurre à la farine. N'y mettez pas les mains, efforcez-vous juste de bien enrober de farine chaque petit copeau de beurre. Quand cela est fait, arrosez le tout de 2 cuillerées à soupe d'eau glacée, continuez d'amalgamer avec la lame de la palette afin de ramasser le tout en boule et finissez cette opération à la main, en travaillant légèrement. Si vous avez besoin d'un peu plus d'eau, ajoutez-en : vous devez obtenir une pâte homogène qui laisse nettes les parois du saladier, sans petites miettes de beurre ou de farine. Glissez la pâte dans un sac en plastique et faites-la reposer 30 minutes au réfrigérateur. Souvenez-vous que cette pâte, comme les autres pâtes à tarte, se congèle très bien. Il faut seulement la laisser totalement décongeler et revenir à température ambiante avant de l'abaisser sur un plan légèrement fariné.

Il suffit de râper le beurre congelé dans la farine.

Beurre et farine une fois répartis, ajoutez l'eau glacée et amalgamez avec une palette.

Ramassez en boule avec les mains en ajoutant un peu d'eau si nécessaire.

Tartes fines feuilletées à la tomate et au chèvre

Ces tartelettes ne sont pas façonnées dans un moule mais cuites à même la plaque. Cela permet à la pâte de se faire toute petite, juste légère et croustillante pour soutenir la garniture. Pour composer celle-ci, les limites sont celles de votre imagination. Vous pouvez les servir à un repas léger, en entrée ou en dessert pour un pique-nique. Il m'arrive de congeler les disques de pâte une fois découpée, entre des couches d'aluminium ou de papier sulfurisé : il suffit alors de les utiliser pour confectionner des tartes au dernier moment si des amis viennent à l'improviste. Si vous n'avez pas d'emporte-pièce de la taille requise, servez-vous d'une petite assiette comme patron.

La première de ces recettes est garnie de tomates juteuses ; pour le fromage, j'aime tout particulièrement le crottin de Chavignol, mais tout autre chèvre à pâte ferme conviendra.

3 personnes en plat principal d'un repas léger, 6 personnes en entrée

1 recette de pâte semi-feuilletée préparée selon les instructions et les quantités de la page 54
12 tomates moyennes
200 g de fromage de chèvre à pâte ferme
18 grandes feuilles de basilic, plus 6 brins de basilic frais pour la garniture
un filet d'huile d'olive
sel, poivre noir du moulin

Il vous faudra également deux plaques à pâtisserie en métal épais de 28 x 35 cm, légèrement huilées, et un emporte-pièce rond de 15 cm de diamètre.

Préchauffez le four à 220 °C (th. 8).

Préparez la pâte selon les instructions de la page 54 et faites-la reposer 30 minutes au réfrigérateur. Pendant ce repos, couvrez les tomates d'eau bouillante ; au bout d'une minute, égouttez-les et pelez-les, piquées au bout d'une fourchette. Ensuite, abaissez la pâte sur un plan légèrement fariné à une épaisseur de 3 mm, découpez-y 6 disques de 15 cm et déposez ceux-ci sur les plaques.

Étalez sur les fonds de tartes les feuilles de basilic en les déchirant si elles sont trop grandes. Coupez les tomates en tranches fines et disposez-les sur le basilic en les faisant se chevaucher légèrement. Retirez la croûte du fromage de chèvre et émiettez-le sur les tomates. Versez l'huile d'olive sur une soucoupe et trempez-y les brins de basilic réservés. Déposez-en un sur chaque tarte. Salez et poivrez bien, arrosez d'un filet d'huile d'olive, glissez les plaques au four en position élevée (une plaque au-dessous de l'autre) et faites cuire de 10 à 12 minutes, jusqu'à ce que les tomates soient tachetées de brun et le fromage grésillant. Intervertissez les plaques au bout de 5 ou 6 minutes pour assurer une cuisson uniforme.

Servez très chaud, au sortir du four, mais ces tartelettes sont également délicieuses à température ambiante, si vous les faites refroidir sur une grille.

Tartes fines à la feta, aux épinards et aux pignons

En Grèce, ce mélange d'ingrédients est généralement cuit au four dans une enveloppe de pâte filo. Je préfère désormais cette version moins grasse dans laquelle la pâte tient une moindre place.

3 personnes en plat principal d'un repas léger, 6 personnes en entrée

1 recette de pâte semi-feuilletée préparée selon les instructions et les quantités de la page 54
125 g de feta grecque taillée en petits dés
225 g de jeunes épinards frais lavés et essorés
25 g de pignons d'Italie
un peu de muscade râpée
25 g de parmesan reggiano finement râpé

Il vous faudra également deux plaques à pâtisserie en métal épais de 28 x 35 cm, légèrement huilées, et un emporte-pièce rond de 15 cm de diamètre.

Préchauffez le four à 220 °C (th. 8).

Préparez la pâte selon les instructions de la page 54, faites-la reposer 30 minutes au réfrigérateur. Pendant ce temps, faites cuire les épinards à l'étouffée, à couvert sur feu moyen. Laissez-les fondre dans leur jus pendant 2 à 3 minutes en les remuant à mi-cuisson. Égouttez-les dans une passoire en les pressant bien pour éliminer le maximum d'eau de cuisson. Cela fait, assaisonnez d'un peu de muscade. Abaissez la pâte sur un plan légèrement fariné à une épaisseur de 3 mm, découpez-y 6 disques de 15 cm et disposez ceux-ci sur les plaques. Hachez finement les épinards et répartissez-les sur les disques de pâte en laissant une fine marge non couverte. Parsemez les épinards de feta, puis de pignons. Glissez les plaques au four, en position élevée, l'une en dessous de l'autre, et faites cuire de 10 à 12 minutes en intervertissant les plaques à mi-cuisson. Retirez du four, saupoudrez de parmesan et servez chaud ou laissez refroidir sur une grille.

Tarte fine à la tomate et au chèvre, en haut à gauche ; tarte fine à la feta, aux épinards et aux pignons, en bas à droite.

3 Légumes

Si l'on veut cuisiner
correctement, il convient
d'apprendre à acheter les
légumes venant de petites
exploitations, à la saison qui leur
assure le maximum de qualité
et de goût. Ainsi, il ne faut pas
oublier que chaque légume
a sa période de prédilection
et je vous encourage vivement
à réintroduire le rythme
naturel des saisons dans votre
alimentation quotidienne.

Salade du chef

Aux États-Unis, on l'appelle « Chef's salad » parce qu'on est censé y faire preuve de créativité, c'est-à-dire utiliser ce qu'on a sous la main pour constituer une salade-plat principal. Jambon, salami, poulet cuit, dinde, toute viande froide peut entrer dans sa composition. De même, vous avez le choix des fromages et des herbes à salade. Une fois que vous maîtriserez le principe, vous ne serez jamais à court d'idées.

6 à 8 personnes en plat principal
175 g de bacon anglais fumé
225 g de saucisson à l'ail non fumé en 1 morceau
110 g de petits champignons de Paris ouverts, lavés et égouttés
75 g de roquefort ou de tout autre fromage à pâte persillée
2 avocats mûrs
1 laitue pommée, parée, lavée et essorée
1 romaine, parée, lavée et essorée
50 g de cresson lavé, essoré et débarrassé de ses tiges dures
50 g de roquette lavée, essorée et équeutée
4 oignons nouveaux finement hachés

La vinaigrette
15 cl de crème fraîche
1 petite gousse d'ail pelée et écrasée
2 cuillerées à soupe de mayonnaise de bonne qualité
1 grosse cuillerée à soupe de moutarde en grains
2 cuillerées à soupe d'huile d'olive extra-vierge
1 cuillerée à soupe de vinaigre de vin blanc
1 cuillerée à soupe de jus de citron
sel, poivre noir du moulin

Avant de commencer, préchauffez le gril du four au moins 10 minutes à l'avance. Rassemblez tous les ingrédients de la vinaigrette dans un grand bol et fouettez-les énergiquement. Goûtez et rectifiez l'assaisonnement.

Garnissez d'une feuille d'aluminium épais la grille d'un plat à griller, ou une grille placée sur une lèchefrite. Disposez-y les tranches de bacon et faites-les griller 7 minutes sous le gril, jusqu'à ce qu'il soit bien croustillant. Égouttez-le sur du papier absorbant, puis émiettez-le en petits morceaux. Retirez la peau du saucisson à l'ail et taillez-le en tranches de 5 mm, puis en bâtonnets de 5 mm d'épaisseur. Essuyez les champignons et coupez-les en tranches fines (2 mm environ). Émiettez le fromage, pelez les avocats et coupez-les en tranches.

Pour présenter la salade, déchirez les feuilles de laitue et de romaine, et arrangez-les dans un grand saladier avec le cresson et la roquette. Parsemez du bacon, de la saucisse, des champignons, du fromage et des tranches d'avocat ; mélangez bien. Juste avant de servir, ajoutez la moitié de la vinaigrette et mélangez. Ajoutez alors le reste de la vinaigrette et remuez de nouveau pour bien l'incorporer. Ajoutez les oignons nouveaux, servez immédiatement. Accompagnez de bon pain rustique en quantité généreuse.

Comment faire la vinaigrette

Les quantités de vinaigre, d'huile et d'autres ingrédients dans une bonne vinaigrette sont toujours, il faut le répéter, une question de goût personnel. Je souffre d'un léger blocage dans ce domaine : les vinaigrettes que je goûte chez les autres, ou celles que prépare mon mari, me semblent toujours meilleures que les miennes. Je n'en ai pas moins fait figurer ici ma recette favorite, mais considérez-la comme souple et adaptable. Ainsi, vous pouvez utiliser du vinaigre de vin rouge ou blanc, une autre moutarde ou pas de moutarde du tout ; remplacer l'ail par de l'échalote très finement hachée ; si vous aimez l'acidité, vous pouvez augmenter la proportion de vinaigre et, dans le cas contraire, forcer plutôt sur l'huile. Pour ma part, les proportions que je trouve les plus équilibrées sont celles que j'indique ici.

4 à 6 personnes

1 grosse cuillerée à café de fleur de sel de Guérande
1 gousse d'ail pelée
1 grosse cuillerée à café de moutarde anglaise en poudre
1 cuillerée à dessert de vinaigre balsamique
1 cuillerée à dessert de vinaigre de jerez
5 cuillerées à soupe d'huile d'olive extra-vierge
poivre noir du moulin
Il vous faudra également un mortier et un pilon.

Versez la fleur de sel dans le mortier et pilez-la brièvement. Ajoutez l'ail et réduisez-le en purée avec le sel. Ajoutez la moutarde en poudre et pilez en un mouvement circulaire pour l'amalgamer complètement à l'ail et au sel. Donnez quelques tours de moulin à poivre.

Ajoutez les deux vinaigres sans cesser de piler et de tourner, puis ajoutez l'huile. Abandonnez le pilon et prenez un petit fouet à main (en forme d'anneau entouré d'une spirale métallique) et fouettez vigoureusement le mélange jusqu'à ce qu'il soit homogène et onctueux. Donnez un dernier coup de fouet avant d'assaisonner la salade.

Note : la vinaigrette doit être utilisée aussi vite que possible, l'huile perdant de son arôme si elle est exposée à l'air. Si vous voulez la préparer à l'avance, accomplissez les opérations jusqu'à l'ajout du vinaigre, et ne versez l'huile qu'au dernier moment.

Salade de haricots blancs au thon, vinaigrette au poivre et au citron

Voici ma version d'une salade italienne traditionnelle. La vinaigrette la relève agréablement, grâce à l'acidité du citron et aux grains de poivre noir. La roquette donne une touche verte de caractère qui confère à cette salade un aspect des plus appétissants.

4 personnes en plat principal,
6 personnes en entrée
250 g de haricots cocos
2 boîtes de thon à l'huile de 200 g
25 g de roquette lavée, essorée et équeutée
50 g d'oignon rouge, pelé et taillé en fines tranches
sel, poivre noir du moulin

La vinaigrette
Le zeste râpé de 1 citron
3 cuillerées à soupe de jus de citron
1 grosse cuillerée à café de grains de poivre noir
2 gousses d'ail pelées
1 cuillerée à soupe de fleur de sel de Guérande
1 grosse cuillerée à café de moutarde anglaise en poudre
3 cuillerées à soupe d'huile d'olive extra-vierge
3 cuillerées à soupe d'huile de conserve du thon (prises dans les boîtes)

Commencez les préparatifs de la recette la veille. Versez les haricots dans un saladier et couvrez-les d'eau froide. Le lendemain, égouttez les haricots, mettez-les dans une grande casserole, couvrez d'eau froide et portez à frémissement. Faites bouillir 10 minutes, couvrez, baissez le feu et faites cuire les haricots jusqu'à ce qu'ils soient tendres (de 1 h 15 à 1 h 30).

Pendant ce temps, videz le thon dans une passoire placée sur un saladier. Laissez égoutter. Préparez la vinaigrette. Commencez par écraser l'ail avec le sel dans un mortier. Quand l'ail est réduit en purée, incorporez la moutarde en poudre. Poussez ce mélange sur un côté du mortier, ajoutez les grains de poivre et concassez grossièrement ces derniers. Ajoutez ensuite le zeste de citron râpé, le jus de citron, l'huile d'olive et l'huile de conserve du thon (éliminez le reste de cette huile). Fouettez le tout pour bien mélanger.

Quand les haricots sont cuits, égouttez-les, rincez la casserole et versez-y les haricots égouttés. Ajoutez la vinaigrette tant que les haricots sont encore chauds, remuez bien, rectifiez l'assaisonnement — la salade doit être bien relevée.

Pour servir, garnissez un grand plat creux des trois quarts de la roquette, disposez les haricots par-dessus à l'aide d'une cuillère, ajoutez le thon grossièrement émietté. Ajoutez le reste de la roquette en enfonçant légèrement ses feuilles et le thon dans la salade de haricots. Décorez des tranches d'oignon et servez immédiatement. Chaque convive se servira individuellement. Un pain chaud et croustillant, baguette, fougasse ou ciabatta, sera un accompagnement parfait.

Note : si vous manquez de temps ou si vous oubliez de faire tremper les haricots secs, rincez-les à l'eau froide et couvrez-les d'une grande quantité d'eau dans une casserole. Portez à ébullition, faites bouillir 10 minutes, puis retirez du feu et laissez tremper 2 heures à couvert. Jetez l'eau, couvrez d'eau claire, portez à ébullition et faites cuire de 1 h 30 à 2 heures, jusqu'à ce que les haricots soient bien tendres.

Salade d'aubergines grillées et de tomates confites à la feta

4 personnes
2 aubergines moyennes
8 petites tomates olivettes mûres
200 g de feta en tranches fines
8 cuillerées à soupe d'huile d'olive extra-vierge
1 grosse cuillerée à soupe de basilic frais grossièrement déchiré
2 cuillerées à soupe de vinaigre balsamique
110 g de salade mélangée
20 cl de crème fraîche allégée
quelques pincées de paprika
sel, poivre noir du moulin

Il vous faudra également un plat à rôtir de 26 x 35 cm et un gril en fonte côtelée.

Préchauffez le four à 200 °C (th. 7).

Je tiens cette merveilleuse recette de Chris Payne et je l'en remercie. Si vous n'avez pas de gril en fonte côtelée ou de barbecue, vous pouvez passer vos aubergines sous le gril du four. Quelle que soit la méthode que vous employez, les saveurs sont exaltées et délicieuses.

D'abord, mondez les tomates en les couvrant d'eau bouillante et en les y laissant 1 minute. Égouttez-les et retirez les peaux, coupez-les en deux et disposez-les sur la plaque, côté coupé vers le haut, salez et poivrez généreusement, arrosez de 1 cuillerée d'huile d'olive en filet, glissez la plaque dans le four en position haute et faites cuire de 50 à 60 minutes. Quand les tomates sont confites, sortez la plaque du four et laissez refroidir le tout.

Pendant que les tomates refroidissent, coupez les aubergines en tranches de 1 cm d'épaisseur, étalez ces tranches sur un plan de travail et saupoudrez-les de sel sur les deux faces. Laissez reposer 20 minutes pour les faire dégorger, puis épongez-les avec du papier absorbant. Badigeonnez-les d'huile d'olive sur les deux faces et donnez-leur quelques tours de moulin à poivre. Huilez légèrement le gril en fonte et posez-le sur feu vif. Lorsqu'il est très chaud, faites-y griller les aubergines, quelques tranches à la fois, 2 minutes 30 de chaque côté (l'opération devrait prendre 20 minutes en tout).

Dans un grand saladier, versez les 6 cuillerées d'huile d'olive restantes, ajoutez le basilic et le vinaigre balsamique. Ajoutez les aubergines et remuez-les dans cette vinaigrette. Laissez mariner dans un endroit frais jusqu'au moment de servir.

Répartissez la salade mélangée dans quatre assiettes et disposez-y les tomates et les aubergines. Au milieu de chaque assiettée de salade, disposez des tranches de feta et arrosez du reste de marinade. Enfin, garnissez chaque portion de salade de 1 cuillerée à soupe de crème fraîche et saupoudrez de paprika.

Salade thaïlandaise au bœuf grillé et au raisin frais

4 personnes
450 g de rumsteck en 1 morceau de 2,5 cm d'épaisseur
175 g de raisin noir ou blanc sans pépins, lavé, essuyé et chaque grain coupé en deux
2-3 chilis rouges frais ou 3-4 piments oiseaux, débarrassés de leurs graines
2 gousses d'ail pelées
2,5 cm de gingembre frais, pelé
6 branches de coriandre fraîche entières plus 3 cuillerées à soupe de coriandre fraîche hachée
1 branche de menthe plus 3 cuillerées à soupe de menthe fraîche hachée
3 cuillerées à café de sauce de poisson thaïe ou de nuoc-mâm
le zeste râpé de 1 citron vert et 3 cuillerées à soupe de jus de citron vert (l'équivalent de 2 citrons verts pressés)
2 cuillerées à soupe de sucre de palme ou de cassonade
3 ou 4 tiges de citronnelle très finement émincées
6 feuilles de citronnier kaffir enroulées ensemble et taillées en très fines lanières (facultatif)
110 g de roquette lavée, essorée et équeutée

La sauce
1 cuillerée à café de graines de sésame grillées
1 cuillerée à café de ciboulette ciselée

Préchauffez le gril du four.

Lorsque j'ai visité l'école de cuisine de l'hôtel Mandarin Oriental de Bangkok, le chef Norbert Kostner m'a donné cette recette de salade. C'est une délicieuse entrée ; elle peut aussi figurer sur la table d'un buffet.

Le bœuf doit être grillé à l'avance, de 2 à 3 minutes de chaque côté pour une cuisson à point. Ne le faites pas trop cuire ; il doit rester bien rosé, car le citron vert contenu dans la sauce se chargera de le cuire encore un peu. Si vous préférez faire cuire la viande sur un gril en fonte, préchauffez-le d'abord 10 minutes, puis faites griller le steak de 1 minute 30 à 2 minutes de chaque côté. Une fois la viande grillée, laissez-la reposer 10 minutes avant de l'émincer en tranches fines.

Pendant ce temps, préparez la sauce : passez au mixeur les piments, l'ail, le gingembre, les branches de coriandre et la menthe. Quand ils sont finement hachés, ajoutez la sauce de poisson, le jus de citron et le sucre, et donnez encore un tour de mixeur. Versez cette sauce sur les tranches de bœuf avant de garnir le tout de citronnelle, de feuilles de citronnier kaffir, de zeste de citron vert et du reste des herbes. Ajoutez la roquette et les demi-grains de raisin, puis parsemez de la garniture.

Salade de fèves à la pancetta et au vinaigre de jerez

La saison des fèves est si courte que j'essaie chaque année d'en profiter au maximum, par exemple en préparant cette salade. C'est à la fois une bonne entrée et un bon plat de buffet, servi avec d'autres salades. Souvenez-vous que les fèves achetées dans leur cosse donnent à peu près le quart de leur poids en graines écossées, soit 250 g au kilo environ.

4 copieuses portions

2 kg de fèves fraîches (500 g écossées)
110 g de pancetta fumée en tranches fines ou de bacon anglais fumé
1 cuillerée à soupe de fines herbes hachées (persil, ciboulette, basilic et thym frais, par exemple)
2 échalotes pelées et finement hachées
sel, poivre noir du moulin

La vinaigrette

2 cuillerées à soupe de vinaigre de jerez
1 grosse gousse d'ail pelée
2 cuillerées à café de fleur de sel
2 cuillerées à café de moutarde anglaise en poudre
5 cuillerées à soupe d'huile d'olive extra-vierge
poivre noir du moulin

Préchauffez le gril pendant 10 minutes. Étalez les tranches de pancetta sur une feuille d'aluminium et faites-les griller 4 minutes à 7,5 cm de la source de chaleur. Elles doivent être bien croustillantes. Laissez-les refroidir ; quand vous pouvez les manipuler, émiettez-les finement. Mettez les fèves dans une casserole moyenne, ajoutez 1 cuillerée à café rase de sel fin et versez de l'eau frémissante juste à niveau des fèves. Portez à ébullition, couvrez, baissez le feu et faites cuire 5 minutes à frémissement. Afin de ne pas trop faire cuire les fèves, utilisez un minuteur.

Pendant la cuisson des fèves, préparez la vinaigrette en écrasant, dans un mortier, l'ail avec le sel. Quand ils sont réduits en crème, ajoutez la moutarde en poudre et continuez de piler en ajoutant le vinaigre et une bonne quantité de poivre noir du moulin. Ajoutez l'huile et fouettez bien. Quand les haricots sont cuits, égouttez-les dans une passoire, débarrassez-les dans un saladier, ajoutez la vinaigrette et remuez bien. Parsemez de pancetta, de fines herbes et d'échalotes hachées, goûtez afin de rectifier l'assaisonnement, remuez à nouveau, couvrez le saladier d'un linge et laissez reposer 2 heures environ à température ambiante afin de marier les arômes.

Filets de harengs marinés, pommes à l'huile et poivre concassé

Cette salade peut être préparée jusqu'à une semaine à l'avance. Tout ce qu'il reste à faire au dernier moment est de faire cuire les pommes de terre nouvelles. Vous pouvez également servir les filets tels quels, sans pommes de terre mais avec du bon pain complet beurré.

4 personnes en plat principal,
8 personnes en entrée
8 filets de harengs fumés doux
2 cuillerées à café de graines de coriandre
2 cuillerées à café de poivre noir en grains
6 échalotes pelées et coupées en très fines tranches
2 feuilles de laurier coupées en 3 ou 4 morceaux
1 citron non traité coupé en deux, puis en fines tranches
le jus de 2 citrons
1 cuillerée à dessert de moutarde en grains
15 cl d'huile d'olive extra-vierge

Pour servir
700 g de pommes de terre nouvelles bien brossées et lavées, non pelées
quelques branches de persil plat,
fleur de sel

Il vous faudra également un plat creux d'au moins 85 cl de contenance.

Afin d'exalter les arômes des graines de coriandre et des grains de poivre, versez-les dans une petite poêle et faites-les griller à sec, sur feu moyen, pendant 2 à 3 minutes. Faites tourner la poêle pour remuer les graines jusqu'à ce qu'elles commencent à sauter, puis versez-les dans un mortier et écrasez-les grossièrement au pilon.

Taillez chaque filet de hareng en 2 lanières dans le sens de la longueur, puis chaque lanière en 4 bâtonnets. Étalez ces lanières dans le plat creux, en 2 couches si nécessaire. Parsemez chaque couche de coriandre et de poivre concassé, d'échalote, de laurier et de tranches de citron. Enfoncez légèrement la garniture aromatique entre les filets.

Dans un bol, fouettez le jus de citron, le sucre, la moutarde et l'huile. Quand le mélange est homogène, versez-le sur les harengs. Couvrez de film alimentaire, puis d'une assiette lestée d'un poids afin que le contenu du plat soit bien immergé dans la marinade. Laissez mariner au réfrigérateur au moins 24 heures, et jusqu'à une semaine.

Quand vous choisissez de servir cette salade harengs, il est important de la sortir du réfrigérateur au moins 1 heure à l'avance. Pendant qu'elle revient à température ambiante, faites cuire les pommes de terre à la vapeur, généreusement saupoudrées de fleur de sel, pendant 20 à 30 minutes selon leur taille. Quand elles sont cuites, enveloppez-les d'un linge pour absorber la vapeur et laissez-les ainsi 5 minutes. Découpez-les grossièrement, répartissez-les entre les assiettes de service, sur lesquelles vous disposerez ensuite la salade de harengs.

Décorez de quelques feuilles de persil plat.

Chèvre rôti, oignons confits au vinaigre de jerez

Le chèvre rôti sur salade, près de vingt ans après son apparition, est toujours un plat à la mode. Rien d'étonnant à cela : le fromage de chèvre chaud, juste fondant, est un délice. Ici, les oignons caramélisés complètent avec bonheur ce cocktail de saveurs fortes et contrastées.

4 personnes
4 crottins de Chavignol, pélardons ou cabecous, ou 200 g de chèvre cylindrique (sainte-maure)
7,5 cl de vinaigre de jerez
500 g de gros oignons doux des Cévennes (3 ou 4 pièces)
25 g de sucre mélasse ou de sucre muscovado
2 cuillerées à soupe d'huile d'olive extra-vierge
1 petite chicorée frisée, lavée et essorée
50 g de roquette lavée et équeutée
sel, poivre noir du moulin

La vinaigrette
1 gousse d'ail pelée
1 grosse cuillerée à café de fleur de sel
1 grosse cuillerée à café de moutarde anglaise en poudre
1 cuillerée à dessert de vinaigre balsamique
1 cuillerée à dessert de vinaigre de jerez
5 cuillerées à soupe d'huile d'olive extra-vierge
poivre noir du moulin

Il vous faudra également une plaque de 26 x 35 cm pour faire rôtir les oignons et un plat à rôtir métallique légèrement huilé pour faire rôtir les crottins.

Préchauffez le four à 230 °C (th. 8-9).

Les oignons seront rôtis en premier : mélangez le vinaigre et le sucre dans un saladier, fouettez vigoureusement avec un fouet à main. Laissez reposer 10 minutes, le temps que le sucre fonde. Pendant ce temps, pelez les oignons sans éliminer la racine. Coupez-les en deux dans le sens de la longueur, puis chaque moitié en 4 quartiers. Déposez-les dans le saladier, ajoutez l'huile, remuez de façon à bien enrober les oignons. Étalez-les sur la plaque, arrosez-les du reste de sauce et glissez la plaque au four en position élevée. Faites cuire 15 minutes, puis retournez les tranches d'oignons et faites cuire encore 15 minutes. Vers la fin de la cuisson, retirez les oignons qui commencent à noircir, et continuez la cuisson des autres jusqu'à ce qu'ils soient tous bien brunis. Retirez du four, laissez refroidir : ils ne sont pas destinés à être consommés chauds.

Peu avant de servir la salade, préchauffez le gril du four pendant 10 minutes. Préparez la vinaigrette en écrasant d'abord l'ail et le sel dans un mortier, puis en incorporant la moutarde en poudre. À l'aide d'un fouet à main, ajoutez le vinaigre puis l'huile; donnez quelques tours de moulin à poivre. Taillez le fromage de chèvre de façon à obtenir 4 portions cylindriques (laissez les cabecous ou les pélardons entiers). Poivrez-les, déposez-les dans le plat à gratin huilé et glissez celui-ci au four, à 7,5 cm du gril. Faites griller de 5 à 7 minutes, jusqu'à ce que le fromage soit fondant et doré. (Si vous utilisez des pélardons ou des cabecous, la cuisson n'excédera pas 3 ou 4 minutes.)

Pendant que les fromages grillent, répartissez les feuilles de frisée et de roquette sur les assiettes de service. Lorsque le fromage est prêt, déposez-en un au milieu de chaque assiette, entourez-le d'oignons confits et arrosez de vinaigrette. Cette salade doit être accompagnée de pain croustillant.

Légumes d'hiver rôtis au four

Cette recette est une solution facile quand vous recevez du monde, car les légumes cuisent tout seuls, sans surveillance. J'apprécie également de les découper et de les faire mariner à l'avance, ce qui me facilite beaucoup la tâche. Cet assortiment de légumes est particulièrement délicieux, mais vous pouvez en choisir d'autres selon vos goûts et vos possibilités.

6 personnes
12 échalotes pelées
350 g de courge sucrine, pelée et épépinée
350 g de patates douces, pelées
350 g de rutabagas pelés
350 g de céléri-rave épluché
1 cuillerée à soupe d'herbes mélangées (thym et romarin, par exemple)
2 grosses gousses d'ail pelées et écrasées
3 cuillerées à soupe d'huile d'olive
sel, poivre noir du moulin

Il vous faudra également un plat à rôtir de 28 x 40 cm.

Préchauffez le four à 220 °C (th. 8).

Il suffit de couper les légumes en gros morceaux de taille irrégulière (pas moins de 4 cm de côté environ). Découpez le céleri-rave en dernier, car il a tendance à s'oxyder et à changer de couleur. Réunissez tous les légumes découpés dans un saladier, ajoutez les herbes, l'ail, l'huile d'olive, salez et poivrez généreusement, et mélangez avec les mains. Vous pouvez alors conserver ces légumes assaisonnés dans un sac en plastique jusqu'à 2 ou 3 jours au réfrigérateur.

Lorsque vous êtes prêt à les faire cuire, étalez-les sur la plaque, glissez celle-ci au four préchauffé en position élevée, et faites-les cuire de 30 à 40 minutes, jusqu'à ce qu'ils soient bien tendres et brunis par endroits.

Chou-fleur aux deux fromages et à la crème fraîche

Ce plat n'a pas besoin de sauce Mornay ; la crème allégée se laisse cuire très vite en une sauce crémeuse. Vous pouvez servir ce chou-fleur en accompagnement, mais c'est aussi un bon plat de dîner pour deux, accompagné de riz ou de pâtes italiennes — de penne, particulièrement.

4 personnes en accompagnement d'un plat, 2 personnes en plat principal

1 chou-fleur moyen, séparé en bouquets
40 g de parmesan finement râpé, plus 1 grosse cuillerée à soupe pour la finition
40 g de gruyère finement râpé
2 grosses cuillerées à soupe de crème fraîche allégée
2 feuilles de laurier coupées en deux
un soupçon de muscade râpée
2 oignons nouveaux très finement hachés, y compris le vert
1 pincée de cayenne
sel, poivre noir du moulin

Il vous faudra également un plat à gratin de 20 cm de côté et de 5 cm de profondeur.

Préchauffez le gril du four.

Placez le chou-fleur et quelques-unes de ses feuilles intérieures dans un cuit-vapeur. Insérez les demi-feuilles de laurier entre les bouquets de chou-fleur. Versez de l'eau bouillante dans le fond du cuit-vapeur, saupoudrez le chou-fleur de quelques râpures de muscade, couvrez et faites cuire 12 minutes environ, jusqu'à ce que le chou-fleur soit tendre. Transférez les bouquets dans un plat à gratin et couvrez le tout d'un linge pour garder au chaud.

Versez 8 cl de l'eau de cuisson dans une casserole, ajoutez la crème et faites cuire doucement, en fouettant à l'aide d'un fouet à main, jusqu'à léger épaississement. Ajoutez alors les deux fromages râpés. Faites chauffer très doucement 1 minute environ, versez la sauce sur le chou-fleur, saupoudrez de cayenne. Enfin, glissez le plat sous le gril du four jusqu'à ce que le chou-fleur soit doré et que la sauce bouillonne.

Salade tunisienne d'aubergines à la coriandre et au yaourt

Voici ma version adaptée d'une recette d'Elizabeth David. Je n'ai d'ailleurs jamais suivi les instructions de son livre mais celles d'un de mes restaurants favoris, Chez Bruce, dans le faubourg londonien de Wandsworth, où cette salade est souvent servie en entrée. Elle est si délicieuse que je ne commande rien d'autre quand elle est au menu.

4 personnes, en entrée
700 g d'aubergines, taillées en dés de 1 cm
2 grosses cuillerées à soupe de coriandre fraîche hachée
700 g de tomates rouges et bien mûres
3 cuillerées à soupe (environ) d'huile d'olive
1 grosse cuillerée à soupe de graines de cumin
1 cuillerée à café de grains de poivre de la Jamaïque
1 gros oignon (300 g environ) pelé et finement haché
1 gros piment nord-africain rouge débarrassé de ses graines et finement haché
4 gousses d'ail pelées et finement hachées
2 grosses cuillerées à soupe de menthe fraîche hachée
sel, poivre du moulin

Pour servir
1 cuillerée à soupe d'huile d'olive
8 pains pitta chauffés
4 cuillerées à soupe de yaourt à la grecque
1 grosse cuillerée à soupe de coriandre fraîche hachée
1 grosse cuillerée à soupe de menthe fraîche hachée

Il vous faudra également deux plaques, l'une de 28 x 40 cm, l'autre de 26 x 35 cm.

Il faut commencer les préparatifs de cette recette la veille du jour où vous désirez la servir. Placez les dés d'aubergine dans une grande passoire, salez-les à mesure que vous les y entassez, remuez un peu, couvrez d'une assiette et lestez celle-ci de quelques poids ou de quelques objets lourds. Déposez la passoire sur une assiette et laissez égoutter les aubergines 1 heure. Au bout de 30 minutes d'égouttage, préchauffez le four à 230 °C (th. 8-9).

Pendant ce temps, mondez les tomates : couvrez-les d'eau bouillante et laissez-les reposer exactement 1 minute avant de les égoutter et de les peler. Protégez vos mains d'un torchon si elles sont trop chaudes. Coupez-les en deux et disposez-les, côté coupé vers le haut, sur la plus petite des deux plaques, légèrement huilée. Enduisez légèrement les tomates d'huile d'olive et réservez.

Posez une petite poêle sur feu moyen, versez-y les graines de cumin et le poivre de la Jamaïque, remuez-les et faites-les griller de 1 à 2 minutes, jusqu'à ce qu'ils commencent à brunir et à sauter dans la poêle. Versez-les dans un mortier et pilez-les en poudre fine à l'aide d'un pilon.

Lorsque les aubergines ont bien dégorgé leur eau de végétation, pressez-les dans la passoire, essuyez-les avec du papier absorbant, transférez-les dans un saladier, ajoutez 1 cuillerée à soupe d'huile et remuez-les afin de bien les en enrober. Étalez-les ensuite sur la plus grande des deux plaques et glissez les deux plaques au four, les aubergines en position élevée et les tomates immédiatement au-dessous. Faites cuire le tout environ 25 minutes : au bout de ce laps de temps, les aubergines seront légèrement brunies et les tomates moelleuses. Retirez les deux plaques du four et laissez tiédir, puis hachez les tomates en petits morceaux.

Pendant la cuisson des légumes, faites chauffer 2 cuillerées à soupe d'huile dans une grande poêle et faites-y dorer les oignons sur feu moyen à vif pendant 5 minutes environ. Ajoutez le piment, l'ail, et faites frire encore 1 minute. Ajoutez les tomates hachées, les aubergines, les épices en poudre et remuez bien. Ajoutez les herbes, du sel à votre goût et quelques tours de moulin à poivre. Portez le tout à petit frémissement, retirez du feu et versez la salade dans un grand plat creux de service. Laissez reposer au moins 24 heures au réfrigérateur, à couvert. Servez cette salade à température ambiante, arrosée d'un filet d'huile d'olive. Accompagnez de pain pitta chaud, de 1 bonne cuillerée de yaourt à la grecque déposée sur la salade, et parsemez d'herbes fraîches.

Chou au lard et aux pommes, cuit au cidre

Les arômes du chou, du lard, des pommes et du cidre vont très bien ensemble. En accompagnement de saucisses-purée, cette recette est tout simplement délicieuse.

4 à 6 personnes

450 g de chou vert coupé en quartiers, débarrassé du cœur et de la tige
125 g de petits dés de pancetta ou de lard de poitrine salée
1 pomme Granny Smith évidée, non pelée et taillée en petits dés
2 cuillerées à soupe de cidre brut
2 cuillerées à soupe de vinaigre de cidre
1 cuillerée à dessert d'huile d'olive
1 petit oignon pelé et finement haché
2 gousses d'ail pelées et écrasées
1 feuille de laurier
1 branche de thym
sel, poivre noir du moulin

Il vous faudra également une poêle à frire de 26 cm de diamètre.

Émincez le chou en julienne de 5 mm. Posez la poêle sur feu vif et faites-y cuire le lard ou la pancetta sans matière grasse, 5 minutes environ, jusqu'à ce qu'il soit doré et croustillant. Débarrassez-le sur une assiette. Dans la même poêle, versez l'huile et faites-la chauffer. Faites-y frire les oignons pendant 5 minutes ; ils doivent nettement prendre couleur sur les bords. Sur feu le plus vif possible, ajoutez le chou et faites-le frire 3 minutes environ, sans cesser de le remuer et de le retourner avec une spatule en bois. Ajoutez le lard réservé, la pomme, l'ail, le laurier et le thym, en salant et en poivrant généreusement. Remuez encore quelques secondes, puis ajoutez le cidre et le vinaigre de cidre. Continuez la cuisson en remuant bien, de 1 à 2 minutes sur feu très vif. Enfin, retirez le thym et le laurier, rectifiez l'assaisonnement et servez au plus vite.

Potage de légumes-racines mijoté

La cuisson lente et douce transfigure les légumes d'hiver : leur saveur et leur arôme s'adoucissent en même temps qu'ils s'intensifient et acquièrent du caractère. Votre cuisine embaume d'odeurs douces et agréables. Un autre bon point : cette soupe ne contient aucune matière grasse.

6 personnes
(Le poids s'entend pour des légumes pelés et détaillés)
225 g de carottes pelées et taillées en bâtonnets de 5 cm
225 g de céleri-rave pelé et taillé en dés de 5 cm
225 g de poireaux parés et lavés, taillés en tranches de 5 cm
225 g de rutabagas ou de navets jaunes, taillés en dés de 5 cm
1 petit oignon pelé et grossièrement haché
1,5 l de bouillon végétal préparé avec des cubes (se trouve en alimentation bio)
3 feuilles de laurier
sel, poivre noir du moulin

Pour servir
6 cuillerées à soupe de yaourt à la grecque allégé
un peu de ciboulette ciselée

Il vous faudra également une cocotte de 3,5 l, si possible en céramique ou en porcelaine à feu, allant au four.

Préchauffez le four à 140 °C (th. 4).

Lavez soigneusement l'ensemble des légumes-racines pour éliminer toute trace de terre. Une fois qu'ils sont pelés et taillés, il ne reste plus grand-chose à faire : il suffit de rassembler tous les ingrédients dans la cocotte, de porter à petit frémissement, de couvrir et de glisser la cocotte au bas du four. Vous l'y laisserez 3 heures, afin qu'au bout de ce laps de temps, les légumes soient tendres et fondants. Retirez les feuilles de laurier et passez la soupe au mixeur ou au moulin à légumes, puis réchauffez-la doucement et servez-la dans des bols, additionnée de 1 cuillerée de yaourt à la grecque déposée au milieu de chaque bol et garnie d'un peu de ciboulette fraîchement ciselée.

Céleri braisé

4 à 6 personnes
Les branches d'un pied de céleri, parées, débarrassées de leurs filaments et taillées en longueurs de 7,5 cm
25 g de beurre
1 oignon moyen pelé et taillé en tranches fines
75 g de carottes pelées et taillées en fines rondelles
25 cl de bouillon végétal bouillant (voir recette précédente)
1 cuillerée à soupe de persil plat haché
sel, poivre noir du moulin

Il vous faudra également une poêle de 26 cm de diamètre.

Le céleri-branche nous plaît tant, cru dans les salades, que nous avons tendance à oublier combien il est délicieux cuit et servi comme légume. Voici une méthode de cuisson facile et rapide, tout à fait savoureuse.

Faites fondre le beurre dans la poêle et faites-y revenir les oignons pendant 3 à 4 minutes sur feu moyen à vif. Ajoutez le céleri, faites revenir encore 5 minutes, jusqu'à ce que les légumes commencent à brunir sur les bords. Salez, poivrez au moulin, ajoutez le bouillon chaud et couvrez la casserole. Baissez le feu et laissez mijoter 20 minutes sur feu doux, jusqu'à ce que le céleri soit presque tendre. Retirez le couvercle et faites cuire sur feu moyen jusqu'à réduction presque complète du liquide : il doit prendre une consistance sirupeuse. Cette réduction prend environ 5 minutes. Servez le céleri nappé de son jus et garni de persil haché.

Carottes rôties à l'ail et à la coriandre

Cette recette s'applique aux carottes d'hiver, grosses et un peu dures, dépourvues de l'arôme délicat des carottes nouvelles de printemps. Au four, elles bruniront et caraméliseront légèrement, ce qui exalte les saveurs et crée une belle harmonie avec les notes épicées de la coriandre.

4 personnes
500 g de carottes d'hiver, lavées et brossées si elles sont sableuses, mais non pelées
2 gousses d'ail pelées et écrasées
1 cuillerée à dessert de graines de coriandre
1/2 cuillerée à café de grains de poivre noir
1/2 cuillerée à café de fleur de sel
1 cuillerée à dessert d'huile d'olive

Il vous faudra également une plaque ou un plat à rôtir de 26 x 35 cm.

Préchauffez le four à 230 °C (th. 8-9).

Taillez les carottes en tronçons de 4 cm au moins. Dans une petite poêle, sur feu moyen, faites rôtir les graines de coriandre et les grains de poivre. Remuez-les et tournez la poêle régulièrement pendant 1 à 2 minutes, jusqu'à ce que les épices sautent et commencent à brunir. Videz-les dans un mortier et pilez-les grossièrement au pilon. Réunissez les tronçons de carottes et les épices dans un saladier.

Jetez dans le mortier les gousses d'ail et le sel, pilez-les en une fine purée. Incorporez l'huile en filet, en tournant avec le pilon, jusqu'à épaississement. Ajoutez cette sauce aux carottes épicées, puis étalez le tout sur la plaque. Glissez celle-ci au four en position élevée, et faites rôtir les carottes jusqu'à ce que la pointe d'un couteau les traverse facilement (de 30 à 40 minutes).

Note : les carottes peuvent être préparées à l'avance et conservées au réfrigérateur, dans un sac en plastique.

Courgettes marinées, vinaigrette aux herbes

Si vous avez des pieds de courgettes dans votre potager, cette recette est idéale pour utiliser celles qui ont des idées de grandeur et menacent de se faire courges en une nuit. Même si vous n'avez pas de potager, c'est une délicieuse façon d'accommoder ces légumes.

4 personnes
500 g de courgettes
fleur de sel

La vinaigrette aux herbes
1 cuillerée à café de ciboulette ciselée
1 cuillerée à café d'estragon frais ciselé
1 cuillerée à café de persil plat finement ciselé
1 cuillerée à café de feuilles de romarin frais, écrasées puis finement hachées
1 gousse d'ail pelée
1 cuillerée à café de fleur de sel
1 grosse cuillerée à café de moutarde en grains
2 cuillerées à soupe de vinaigre de vin blanc
4 cuillerées à soupe d'huile d'olive
poivre noir du moulin

Il vous faudra également un cuit-vapeur.

Parez les courgettes à chaque extrémité. Si elles sont petites, contentez-vous de les couper en deux dans le sens de la longueur. Si elles sont plus grosses, faites 4 tranches longitudinales. Placez-les dans l'un des compartiments d'un cuit-vapeur, versez de l'eau bouillante dans la partie inférieure, salez légèrement les courgettes et faites-les cuire de 10 à 14 minutes à couvert, selon leur taille. Elles doivent être fermes mais tendres.

Pendant ce temps, préparez la marinade : dans un mortier, pilez l'ail avec le sel jusqu'à obtention d'une pâte crémeuse. Incorporez au pilon la moutarde, puis le vinaigre et une généreuse quantité de poivre du moulin. Ajoutez ensuite l'huile avant de fouetter vivement, puis d'ajouter les herbes. Quand les courgettes sont prêtes, débarrassez-les dans un plat creux, arrosez-les de la marinade et laissez-les refroidir.

Couvrez le plat d'un film alimentaire et faites mariner quelques heures au réfrigérateur en les retournant une ou deux fois. Ces courgettes se conservent trois jours, il est donc possible de les préparer à l'avance.

Ci-dessous, de gauche à droite : céleri braisé ; carottes rôties à l'ail et à la coriandre ; courgettes marinées, vinaigrette aux herbes.

Rösti « bubble and squeak »

Le bubble and squeak, *recette traditionnelle anglaise, allie les pommes de terre et le chou ; en y associant la méthode suisse du rösti et un peu de cheddar râpé, ce vieux classique prend une nouvelle dimension. Ces petits rösti individuels sont excellents servis avec des saucisses ou de la volaille froide, le tout accompagné de cornichons et de divers condiments.*

4 personnes (8 rösti)
500 g de pommes de terre charlotte (3 pommes de terre moyennes de 160 g chacune environ)
75 g de chou vert (poids épluché)
50 g de cheddar affiné, grossièrement râpé
1 cuillerée à soupe de farine
25 g de beurre
1 cuillerée à dessert d'huile d'olive
sel, poivre noir du moulin

Il vous faudra également une plaque de 26 x 35 cm.

Lavez et brossez les pommes de terre, mettez-les dans une casserole moyenne avec un peu de sel. Couvrez juste d'eau bouillante, portez à frémissement et faites cuire 8 minutes sur feu doux, à couvert. Égouttez les pommes de terre et laissez-les tiédir. Pendant ce temps, parez les feuilles de chou en éliminant les côtes et émincez les feuilles en lanières de 5 mm. Cette opération est plus facile si vous roulez les feuilles comme des cigares avant de les émincer. Faites-les blanchir 2 minutes, pas plus, à l'eau bouillante, ensuite égouttez-les et essorez-les bien.

Lorsque les pommes de terre ont tiédi, pelez-les et râpez-les dans un saladier avec une râpe à gros trous. Salez, poivrez, ajoutez le fromage râpé et le chou essoré. Mélangez légèrement le tout avec deux fourchettes.

Pour obtenir les rösti, façonnez le mélange en boulettes aplaties de 7,5 cm de largeur et de 1 cm d'épaisseur. Comprimez-les bien avec vos mains, et farinez-les légèrement. Si vous désirez les préparer à l'avance, déposez-les sur une assiette et recouvrez le tout de film alimentaire. Elles attendront bien sagement jusqu'à 6 heures au réfrigérateur.

Pour les faire cuire, préchauffez le four à 220 °C (th. 8) et glissez la plaque vide dans la partie supérieure du four. Faites fondre le beurre, ajoutez l'huile, et badigeonnez les rösti de ce mélange sur les deux faces. Lorsque le four est assez chaud, disposez les rösti sur la plaque et faites-les cuire 15 minutes. Retournez-les et faites cuire encore 10 minutes. On peut, après cuisson, les garder jusqu'à 30 minutes au chaud.

Crème de potiron au maïs grillé

L'association d'arômes et de consistances est très heureuse : la douceur veloutée de la crème de potiron rencontre le croquant et la saveur forte, caramélisée, du maïs grillé.

6 personnes
700 g de potiron ou de courge sucrine, pelé et épépiné, taillé en dés de 2,5 cm
570 g de maïs prélevé sur des épis frais (5 ou 6 épis)
25 g de beurre
1 oignon moyen, pelé et finement haché
30 cl de lait entier
75 cl de bouillon de légumes suisse préparé avec 1 cube (se trouve en alimentation bio)
1 cuillerée à café de beurre fondu (pour le maïs)
sel, poivre noir du moulin

Il vous faudra également une casserole de 1,75 l et son couvercle, ainsi qu'une plaque à pâtisserie.

Faites fondre le beurre dans la casserole, ajoutez l'oignon et faites-le fondre 8 minutes environ. Ajoutez les dés de potiron et la moitié du maïs, remuez bien, salez et poivrez. Couvrez la casserole, et, sur feu doux, laissez doucement suer et étuver les légumes pendant environ 10 minutes. Ajoutez le lait et le bouillon, et faites cuire 20 minutes sur feu doux.

Ne couvrez pas totalement la casserole : laissez un léger décalage entre le couvercle et le bord de la casserole afin d'éviter tout risque de débordement. Gardez, de toute façon, un œil sur la cuisson.

Préchauffez le gril du four pendant 10 minutes. Mélangez le reste du maïs avec le beurre fondu, étalez le maïs sur une plaque, salez, poivrez et faites-le griller à 7,5 cm de la source de chaleur. Il lui faudra 8 minutes environ pour bien griller et dorer, mais n'oubliez pas de le remuer sur la plaque au bout de 4 minutes pour égaliser la cuisson.

Lorsque la soupe est cuite, passez-la au mixeur ou au moulin à légumes. Ne la mixez pas trop, elle doit garder un peu de consistance. Au mixeur, vous aurez probablement à procéder en deux fois. Servez la crème de potiron dans des bols chauffés, garnie de maïs grillé.

Moussaka à l'aubergine rôtie et à la ricotta

La sauce blanche de base permet de réaliser des recettes très diverses. Dans ce classique grec, la sauce que l'on fait gratiner en surface est ici additionnée d'une petite touche d'Italie : un peu de ricotta. Cela donne la plus savoureuse des moussakas. Par ailleurs, au lieu de regarder les aubergines absorber des litres d'huile dans une poêle, il est tellement plus agréable et plus facile de les faire rôtir au four !

6 personnes
450 g d'agneau haché
2 aubergines moyennes
2 cuillerées à soupe d'huile d'olive
2 oignons moyens pelés et finement hachés
2 gousses d'ail pelées et hachées
1 grosse cuillerée à soupe de menthe fraîche hachée
1 grosse cuillerée à soupe de persil plat haché
1 cuillerée à café de cannelle en poudre
2 grosses cuillerées à café de concentré de tomate
7,5 cl de vin rouge
sel, poivre noir du moulin

La sauce
250 g de ricotta
28 cl de lait entier
25 g de farine
25 g de beurre
le quart d'une noix de muscade, râpée
1 feuille de laurier
1 gros œuf
1 cuillerée à soupe de parmesan râpé
sel, poivre noir du moulin

Il vous faudra également un plat à gratin de 20 x 26 cm et de 5 cm de profondeur, ainsi qu'une plaque de 28 x 35 cm.

Pour commencer, il faut éliminer l'excès d'eau contenu dans les aubergines et ainsi concentrer leur saveur. Retirez les pédoncules et coupez les aubergines en morceaux de 4 cm, sans les peler. Saupoudrez-les, dans une passoire placée sur une assiette, de 1 cuillerée à dessert rase de sel fin. Couvrez d'une autre assiette, lestez celle-ci d'un poids, et laissez reposer le tout 1 heure. Peu avant que ce temps soit écoulé, préchauffez le four à sa température maximale. L'heure venue, pressez les aubergines de vos mains et séchez-les aussi soigneusement que possible dans un linge. Étalez-les sur la plaque, arrosez de 1 cuillerée à soupe d'huile d'olive, remuez les aubergines pour bien les enduire. Glissez la plaque au four et faites rôtir les aubergines 30 minutes, ou jusqu'à ce qu'elles brunissent légèrement.

Pendant cette cuisson, faites chauffer le reste de l'huile d'olive dans votre plus grande poêle et faites-y suer doucement, pendant 5 minutes, les oignons et l'ail. Sur feu vif, faites revenir dans la même poêle l'agneau haché; faites dorer quelques minutes en remuant bien. Continuez la cuisson 3 minutes, toujours en remuant. Baissez le feu. Dans un petit bol, mélangez la menthe, le persil, la cannelle, le concentré de tomate et le vin rouge. Ajoutez ce mélange à la viande hachée, salez et poivrez; faites cuire 20 minutes environ en remuant régulièrement pour empêcher d'attacher.

Retirez les aubergines du four et baissez la température à 180 °C (th. 6). Laissez la porte du four entrouverte pour faire diminuer légèrement la chaleur.

Préparez la sauce : réunissez dans une casserole le lait, la farine, le beurre, la muscade et le laurier. À l'aide d'un fouet ballon, fouettez sur feu moyen jusqu'à petit frémissement : la sauce doit épaissir et devenir satinée. Baissez le feu au minimum, et laissez cuire doucement la sauce pendant 5 minutes. Goûtez, rectifiez l'assaisonnement, éliminez la feuille de laurier et retirez la casserole du feu. Laissez refroidir quelques minutes avant d'incorporer, au fouet, la ricotta et l'œuf. Fouettez vigoureusement pour bien mélanger.

Enfin, mélangez les aubergines et la viande, et versez le tout dans le plat à gratin. Couvrez de la sauce, saupoudrez la surface de parmesan et faites cuire 50 minutes au milieu du four. La surface du gratin doit être dorée. Laissez reposer la moussaka 10 minutes hors du four pour faciliter le découpage, puis servez avec du riz complet et une salade de style grec — concombre, tomates, olives, feta émiettée, le tout assaisonné à l'huile d'olive et au jus de citron.

Crème de chou-fleur au roquefort

Ce potage est sublime, résultat de l'union heureuse du chou-fleur et du roquefort. Mais j'ai également essayé avec du cheddar affiné, et je suis certaine qu'il serait excellent avec tout autre fromage que vous auriez sous la main. Et ce n'est pas tout : la préparation ne prend guère plus de 40 minutes.

4 à 6 personnes
1 beau chou-fleur (600 g environ)
50 g de roquefort finement émietté
1,5 l d'eau
2 feuilles de laurier
25 g de beurre
1 oignon moyen, pelé et haché
2 branches de céleri hachées
1 gros blanc de poireau bien lavé et haché
110 g de pomme de terre pelée et coupée en petits dés
2 cuillerées à soupe de crème fraîche allégée
sel, poivre noir du moulin
un peu de ciboulette ciselée pour servir

Le bouillon, pour ce potage, est un jeu d'enfant : il est réalisé avec les parures de chou-fleur. Divisez donc le chou-fleur en bouquets ; prenez les tiges, ainsi que les petites feuilles, et mettez le tout dans une casserole moyenne. Ajoutez l'eau, le laurier et un peu de sel. Portez à ébullition, couvrez et faites cuire 20 minutes sur feu doux.

Dans une grande casserole munie d'un couvercle bien hermétique, faites fondre le beurre sur feu doux. Ajoutez l'oignon, le céleri, le poireau et les pommes de terre, couvrez et faites suer les légumes 15 minutes. Le feu doit rester très modéré. Quand le bouillon de chou-fleur est prêt, filtrez-le dans la grande casserole en ajoutant les feuilles de laurier (mais pas les autres ingrédients). Ajoutez les bouquets de chou-fleur, portez à frémissement et faites cuire de 20 à 25 minutes sur feu très doux, à découvert, jusqu'à ce que le chou-fleur soit parfaitement tendre.

Éliminez le laurier et versez le contenu de la casserole dans le bol d'un mixeur ou dans un moulin à légumes. Réduisez le tout en une fine purée, versez celle-ci dans la casserole, incorporez la crème fraîche et le fromage. Remuez sur feu doux jusqu'à ce que le fromage soit fondu et la soupe bien chaude mais non bouillante. Rectifiez l'assaisonnement et servez dans des bols chauffés, après avoir garni de ciboulette ciselée.

Guacamole mexicain

La première fois que j'ai utilisé de la sauce Tabasco, c'était pour préparer mon premier guacamole. Cette purée d'avocats très relevée, agrémentée de tomates et de chilis, plaît à tous. Servez-la en entrée avec de la baguette croustillante ou pour accompagner des bâtonnets de légumes crus. Ne préparez pas le guacamole plus de trois heures à l'avance, car il s'oxyde.

4 personnes
2 avocats mûrs
2 grosses tomates mûres
2 petites gousses d'ail pelées et coupées en tranches
la moitié d'un oignon rouge coupée en quartiers
2 petits piments rouges coupés en deux et débarrassés de leurs graines
le jus de 2 citrons verts
quelques gouttes de Tabasco
2 cuillerées à soupe de feuilles de coriandre fraîche pour la garniture
sel, poivre noir du moulin

Un point important : les avocats doivent être mûrs, souples sous la main. Coupez-les en deux, retirez le noyau, puis coupez-les en quartiers, retirez l'écorce et mettez la chair dans le bol d'un mixeur. À l'aide d'une petite cuillère, raclez la chair adhérant à l'intérieur de l'écorce et ajoutez-la au contenu du mixeur, car elle avive la couleur. Couvrez les tomates d'eau bouillante, laissez-les reposer 1 minute, pas plus, puis égouttez-les et pelez-les. Coupez les tomates en deux et ajoutez-les au contenu du mixeur. Ajoutez aussi l'oignon, l'ail, et les chilis, puis le jus de citron, quelques gouttes de Tabasco et un peu de sel et de poivre. Réduisez en purée fine, versez cette purée dans un saladier et couvrez celui-ci de film alimentaire. Réservez au réfrigérateur jusqu'au moment de servir (pas plus de 3 heures) et servez garni de feuilles de coriandre fraîche.

4
Poissons

Pourquoi craint-on de cuisiner le
poisson ? Pourquoi le prend-on
toujours avec des pincettes ?
Peur de l'inconnu, excès de
choix, méconnaissance des
espèces, trac du débutant ?
La plupart des gens adorent
le poisson mais très peu d'entre
eux se hasardent à le préparer.
Je crois donc qu'il m'incombe
de rassurer les indécis et de vous
donner une introduction
simple à la cuisine de la mer,
en espérant qu'elle vous incitera
à vous jeter à l'eau !

Aile de raie frite, sauce tartare minute

La raie a la réputation d'être difficile à cuisiner. Dommage, car c'est l'un des poissons les plus savoureux. Sa chair se détache aisément, en longues lanières, cela vaut la peine d'essayer. J'aime la raie cuite simplement, accompagnée de jus de citron ou de sauce tartare. Celle-ci s'élabore sur une base de mayonnaise, que je réalise très vite, au robot, avec un œuf entier. Cette mayonnaise se conserve une semaine au réfrigérateur dans un bocal à couvercle à vis. On peut aussi en accompagner des poissons grillés ou des croquettes de poisson.

2 personnes
500 g d'aile de raie pelée (2 petites ou 1 grande coupée en deux)
1 cuillerée à soupe rase de farine salée et poivrée
2 cuillerées à soupe d'huile d'olive douce

La sauce tartare
1 gros œuf frais
1/2 cuillerée à café de fleur de sel
1 petite gousse d'ail pelée
1/2 cuillerée à café de moutarde anglaise en poudre
18 cl d'huile d'olive douce
1 cuillerée à dessert de jus de citron
1 cuillerée à soupe de feuilles de persil plat
1 grosse cuillerée à soupe de câpres au sel, rincées et égouttées
4 cornichons
poivre noir du moulin

Garniture
quelques branches de persil plat
1 citron coupé en quartiers

Il vous faudra également une poêle de 26 cm de diamètre.

Préparez la sauce tartare. Cassez l'œuf dans le bol du robot, ajoutez le sel, l'ail et la moutarde en poudre, actionnez le moteur et ajoutez, par le tube vertical, l'huile en un filet fin et continu, aussi lentement que possible. Lorsque l'huile est incorporée et que la sauce a épaissi, moteur coupé, ajoutez du poivre et le reste des ingrédients. Mixez brièvement, par petits coups, jusqu'à ce que les condiments et les herbes soient hachées à la consistance que vous désirez. Enfin, goûtez, rectifiez l'assaisonnement et versez la sauce dans un bol ou dans une saucière.

Lorsque vous êtes prêt à faire cuire la raie, faites chauffer votre poêle sur feu doux pendant que vous essuyez le poisson avec du papier absorbant avant de l'enrober d'une mince couche de farine assaisonnée. Sur feu vif, versez l'huile dans la poêle et, dès qu'elle est très chaude, déposez-y les ailes de raie. Baissez le feu de vif à moyen et faites frire le poisson de 4 à 5 minutes de chaque côté, selon la taille et l'épaisseur. Vérifiez la cuisson en piquant la chair avec la pointe d'un couteau : si elle s'effeuille jusqu'à l'arête et a pris une teinte blanc crémeux, la raie est cuite. Retirez-la avec une spatule à poisson et déposez-la sur une assiette chauffée, garnissez de persil haché et servez avec la sauce tartare. Accompagnez de quartiers de citron.

Note : vous pouvez réaliser une variante de la sauce tartare en remplaçant le jus de citron par du jus de citron vert et le persil par de la coriandre fraîche.

Pour obtenir une sauce tartare, réunissez l'œuf, le sel, l'ail et la moutarde en poudre dans le bol du robot ; ajoutez l'huile en un filet fin et continu à travers le tube vertical. Une fois la sauce épaissie, ajoutez le reste des ingrédients et mixez par coups successifs jusqu'à ce que la consistance vous convienne, puis salez, poivrez et versez la sauce dans un bol ou dans une saucière.

Grosses crevettes grillées au beurre d'ail

N'oubliez pas la baguette croustillante à profusion, pour ne rien perdre du jus délicieux de cette entrée somptueuse qui ravira les amateurs d'ail. Elle est simple à préparer, et vous pouvez vous y prendre un certain temps à l'avance.

4 personnes
20 grosses crevettes (grosses gambas, tiger prawns) crues, décongelées (environ 700 g)
4 gousses d'ail pelées et écrasées
75 g de beurre ramolli
1 grosse cuillerée à soupe de persil plat haché
le zeste râpé et le jus de 1/2 citron
sel, poivre noir du moulin

Pour servir
1 cuillerée à dessert de persil plat haché
1 citron coupé en quartiers

Il vous faudra également 4 petits plats à gratin de 13 cm de diamètre à la base, beurrés, ou 1 grand plat à rôtir de 28 x 40 cm, beurré lui aussi.

Pour préparer les crevettes en éventail, d'abord étêtez-les et décortiquez-les, mais conservez les nageoires caudales. Posez chaque crevette sur le dos, ouvrez-la dans le sens de la longueur avec un couteau tranchant au moyen d'une incision centrale (photo ci-dessous, à gauche), sans que la lame ne traverse la crevette. Ouvrez la crevette comme un livre et retirez la veine brune ou bleue centrale en grattant avec la pointe du couteau. Cette veine se retire aisément. Ensuite, rincez les crevettes et épongez-les soigneusement avec du papier absorbant. Déposez-les sur les plats à gratin ou sur le grand plat à rôtir.

Préparez le beurre d'ail : il suffit de mélanger tous les ingrédients avec une fourchette. Répartissez ce beurre d'ail sur les crevettes. Ensuite, vous pouvez couvrir le ou les plats de film alimentaire et réserver le tout au réfrigérateur jusqu'au moment de la cuisson.

Quand vous êtes prêt à faire cuire les crevettes, préchauffez le four à 230 °C (th. 8-9), retirez le film alimentaire si vous avez réservé les plats, glissez ceux-ci au four en position élevée et faites cuire de 6 à 7 minutes (dans un grand plat, la cuisson ne prendra que 5 minutes). Servez garni de persil haché et accompagné de quartiers de citron.

Thon au gril, vinaigrette aux câpres et à la coriandre

Les grils de four étant d'efficacité variable, je préconise l'usage du gril en fonte que l'on pose sur la flamme du gaz. C'est un excellent investissement, surtout pour garder les steaks de thon moelleux au cœur et pour les marquer de ces lignes brunes parallèles qui éveillent si bien l'appétit…

2 personnes
2 steaks de thon de 225 g chacun environ
1 cuillerée à soupe d'huile d'olive extra-vierge
sel, poivre noir du moulin

La vinaigrette
1 cuillerée à soupe de feuilles de coriandre fraîche, grossièrement ciselées
1 cuillerée à soupe de câpres au sel, rincées et égouttées
le zeste râpé et le jus de 1 citron vert
1 cuillerée à soupe de vinaigre de vin blanc
1 gousse d'ail pelée et finement hachée
1 échalote pelée et finement hachée
1 cuillerée à soupe de moutarde en grains
2 cuillerées à soupe d'huile d'olive extra-vierge

Il vous faudra également un gril en fonte côtelé.

Badigeonnez le gril d'un peu d'huile d'olive. Posez le gril sur feu très vif et faites-le préchauffer jusqu'à ce qu'il soit brûlant (environ 10 minutes). Pendant ce temps, essuyez les steaks de thon avec du papier absorbant, déposez-les sur une assiette, badigeonnez-les du reste de l'huile d'olive. Salez-les et poivrez-les sur les deux faces. Lorsque le gril est bien chaud, déposez-y les steaks de thon et faites-les griller 2 minutes de chaque côté.

Préparez la vinaigrette : réunissez tous les ingrédients dans une petite casserole et fouettez-les sur feu doux. Il ne s'agit pas d'une cuisson, il suffit de chauffer l'ensemble.

Lorsque les steaks de thon sont cuits, transférez-les sur des assiettes chaudes, arrosez-les copieusement de la vinaigrette et servez avec des pommes de terre nouvelles à la vapeur.

Croquettes de poisson thaïlandaises

La liste des ingrédients est longue, mais ces croquettes d'inspiration thaïe ne prennent que très peu de temps à préparer et à cuire. Servez-les en entrée, en plat principal, ou alors à l'apéritif. Dans ce dernier cas, façonnez-les en boulettes plus petites.

4 personnes en plat principal,
8 personnes en entrée

450 g de filets de poisson blanc, sans peau, coupés en dés (retirez les arêtes)
1 tige de citronnelle grossièrement hachée
1 grosse gousse d'ail pelée
1 cm de rhizome de gingembre frais, pelé et grossièrement haché
3 cuillerées à soupe de feuilles de coriandre fraîches, plus quelques brins pour la garniture
2 feuilles de citronnier kaffir grossièrement hachées (facultatif)
le zeste de 1 citron vert (plus le jus)
1 petit chili rouge thaïlandais ou vietnamien, débarrassé de ses graines
1/2 petit poivron rouge (ou le quart d'un gros), débarrassé de ses graines et grossièrement haché
75 g de poudre de noix de coco séchée
2 cuillerées à soupe de farine légèrement salée et poivrée
de 2 à 3 cuillerées à soupe d'huile d'arachide
sel, poivre noir du moulin

La sauce

1 cuillerée à café de graines de sésame
1 cuillerée à soupe d'huile de sésame
1 cuillerée à soupe de jus de citron vert
1 cuillerée à dessert de sauce de poisson thaïlandaise ou de nuoc-mâm
1 cuillerée à soupe de sauce de soja japonaise
1 chili rouge moyen, débarrassé de ses graines et très finement haché

Il vous faudra également une poêle de 26 cm de diamètre.

Commencez par réunir dans le bol d'un robot la citronnelle, l'ail, le gingembre, les feuilles de coriandre, les feuilles de kaffir, le zeste de citron vert, le chili et le poivron rouge. Pulvérisez finement le tout. Ajoutez les dés de poisson, actionnez brièvement le moteur pour incorporer le poisson sans trop le broyer, et ajoutez enfin, à travers le tube vertical, la poudre de noix de coco. Travaillez encore brièvement, mais pas trop, 2 ou 3 secondes au plus. Le mélange doit être homogène mais non réduit en bouillie. Débarrassez le mélange dans un saladier, salez et poivrez, façonnez-le en boulettes aplaties de 5 cm de diamètre environ. Si vous désirez les préparer à l'avance, déposez-les sur un plateau en une seule couche, recouvrez de film alimentaire et gardez-les au réfrigérateur jusqu'au moment de les faire cuire.

Préparez la sauce : faites rôtir les graines de sésame dans une petite poêle à fond épais, préchauffée sur feu moyen. Remuez les graines afin qu'elles dorent uniformément. Lorsqu'elles commencent à éclater et à sauter, c'est-à-dire au bout de 2 minutes, elles sont prêtes. Versez-les dans un bol de service, et ajoutez le reste des ingrédients en mélangeant.

Lorsque vous êtes prêt à faire cuire les croquettes de poisson, enrobez-les d'une fine couche de farine, et faites chauffer dans la poêle 2 cuillerées à soupe d'huile sur feu vif. Lorsqu'elle est très chaude, baissez le feu de vif à moyen et faites cuire les croquettes très brièvement ; 30 secondes de chaque côté suffisent. Elles doivent dorer légèrement. Retirez-les au fur et à mesure pour les déposer sur une assiette chauffée. Gardez au chaud et servez avec la sauce, dans laquelle chaque convive trempera les croquettes. Garnissez le plat de brins de coriandre fraîche.

Parmentier de poissons fumés

6 personnes
450 g de filet de haddock fumé, ou
225 g de filet de haddock fumé et
300 g de maquereau fumé entier
2 kippers, anglais de préférence
225 g de saumon fumé ou de chutes de saumon fumé
43 cl de lait entier
1 feuille de laurier
6 grains de poivre noir
quelques branches de persil plat
50 g de beurre
50 g de farine
15 cl de crème fleurette
3 cuillerées à soupe de persil plat haché
2 gros œufs durs, hachés
1 cuillerée à soupe de câpres au sel, rincées et égouttées
4 cornichons hachés
1 cuillerée à soupe de jus de citron
quelques branches de cresson frais pour garnir
sel, poivre noir du moulin

Les pommes parmentières
900 g de pommes de terre charlotte
50 g de beurre
2 cuillerées à soupe de crème fraîche
25 g de gruyère finement râpé
1 cuillerée à soupe de parmesan finement râpé
sel, poivre noir du moulin

Il vous faudra également un plat à gratin de 23 cm de côté et de 5 cm de profondeur, beurré.
Préchauffez le four à 200 °C (th. 7).

Ce parmentier est un de mes classiques familiaux, mais ici je l'ai rendu plus sophistiqué pour en faire un plat de fête. La garniture de cresson est très appropriée, et j'ai toujours trouvé que les gratins de poisson allaient très bien avec les petits pois frais. Attention aux filets de haddock : ne prenez que du vrai haddock, c'est-à-dire de l'églefin fumé.

Déposez le haddock dans un plat à rôtir, couvrez-le du lait, ajoutez le laurier, les grains de poivre et les tiges de persil, et faites cuire au four, en position élevée, pendant 10 minutes. Pendant cette cuisson, retirez la peau et les arêtes des kippers et du maquereau fumé. Hachez la chair en morceaux de 5 cm environ, et faites-en autant avec le saumon fumé si nécessaire. Sortez le haddock du four, filtrez et réservez le lait de cuisson. Lorsque le haddock a suffisamment tiédi, retirez la peau et effeuillez la chair en lambeaux assez gros. Réservez ceux-ci avec les autres poissons fumés.
Préparez la sauce : faites fondre le beurre dans la casserole, incorporez la farine au fouet et ajoutez, petit à petit, le lait de cuisson du haddock en remuant constamment. Lorsque tout le lait est incorporé, versez la crème, rectifiez l'assaisonnement, et faites cuire de 3 à 4 minutes sur feu doux. Ajoutez aux poissons le persil haché, les œufs durs hachés, les câpres, les cornichons; versez ensuite le jus de citron et, finalement, la sauce. Mélangez doucement et avec précaution afin de ne pas émietter le poisson, goûtez, rectifiez de nouveau l'assaisonnement si besoin est, puis versez le tout dans le plat à gratin.
Occupez-vous à présent des pommes de terre. Pelez-les, coupez-les en quartiers, déposez-les dans un panier à vapeur au-dessus d'un fond d'eau bouillante dans une casserole, saupoudrez-les de 1 cuillerée à dessert de sel. Couvrez et faites cuire 25 minutes environ, jusqu'à ce qu'elles soient parfaitement tendres. Égouttez-les, videz l'eau de la casserole, remplacez-la par les pommes de terre et couvrez celles-ci d'un linge propre afin d'absorber toute la vapeur. Laissez-les reposer 5 minutes, puis ajoutez le beurre et la crème fraîche. À l'aide d'un fouet à main, brisez les pommes de terre puis travaillez-les en purée en augmentant progressivement la vitesse afin d'obtenir une purée légère, lisse et crémeuse. Goûtez, salez et poivrez, et enfin étalez cette purée sur le poisson. Dessinez des sillons sur toute la surface à l'aide d'un couteau palette. Saupoudrez des fromages râpés et faites cuire au four, en position élevée, pendant 30 à 40 minutes ou jusqu'à ce que la surface soit bien dorée. Servez en parts, garnies de cresson frais.

Gratin de poisson aux pommes de terre et à la *salsa verde*

Voici une recette pleine de caractère et qui plaira beaucoup. Elle constitue un repas complet pour 2 ou 3 personnes. Le cabillaud convient bien à cette préparation, mais tout autre filet de poisson blanc charnu fera l'affaire : la lotte, par exemple, serait parfaite.

2 ou 3 personnes
500 g de filet de cabillaud, sans la peau
600 g de pommes de terre bintje ou charlotte
1 cuillerée à soupe d'huile d'olive
1 cuillerée à soupe rase de parmesan finement râpé
sel, poivre noir du moulin

La salsa verde
1 gousse d'ail pelée
1 cuillerée à café de fleur de sel
2 filets d'anchois à l'huile, égouttés et hachés
1 cuillerée à soupe de basilic frais finement haché
1 cuillerée à soupe de persil plat finement haché
2 cuillerées à soupe d'huile d'olive
2 cuillerées à dessert de jus de citron
poivre du moulin

Il vous faudra également un plat à gratin de 20 cm de côté et de 5 cm de profondeur, beurré.

Commencez par préparer les ingrédients de la *salsa verde.* Dans un mortier, écrasez l'ail avec un pilon, et quand il est réduit en purée incorporez peu à peu, tout en tournant et en écrasant avec le pilon, le reste des ingrédients jusqu'à obtention d'une sauce homogène.
Préchauffez le four à 200 °C (th. 7). Faites chauffer de l'eau dans une bouilloire. Pelez et lavez les pommes de terre, taillez-les en tranches de 5 mm et mettez-les dans une casserole. Salez, couvrez juste d'eau bouillante, portez à frémissement, couvrez et faites cuire de 7 à 8 minutes sur feu doux : elles doivent être cuites presque à cœur. Videz l'eau de la casserole et couvrez les pommes de terre d'un linge propre ; laissez-les ainsi 3 minutes pour absorber la vapeur.
Disposez la moitié des pommes de terre au fond du plat à gratin. Salez et poivrez généreusement, essuyez le poisson avec du papier absorbant, déposez-le sur les pommes de terre, salez et poivrez de nouveau. Nappez toute la surface de *salsa verde* à l'aide d'une cuillère, puis couvrez du reste des pommes de terre en les tuilant légèrement (voir photo). Badigeonnez-les d'huile d'olive, salez et poivrez une dernière fois, et saupoudrez de fromage râpé. Faites cuire au four, en position élevée, 30 minutes environ. Le poisson doit être cuit et les pommes de terre bien dorées.

Curry de poisson thaï à la mangue

Ce curry plein de saveurs est d'une simplicité incroyable ; mieux encore : il peut être préparé à l'avance et le poisson ajouté 10 minutes avant de servir. Vous pouvez remplacer le poisson par 700 g de grosses crevettes décongelées et décortiquées.

4 généreuses portions
900 g de filets de poissons à chair ferme (flétan, églefin, daurade ou cabillaud par exemple), coupés en dés de 4 cm
1 grosse mangue mûre mais ferme, pelée et taillée en dés de 2 cm
2 boîtes de lait de coco de 40 cl chacune

La pâte de curry
2 chilis rouges moyens, coupés en deux et débarrassés de leurs graines
le zeste râpé et le jus de 1 citron vert
2 tiges de citronnelle grossièrement hachées
2,5 cm de rhizome de gingembre frais, pelés et taillés en tranches
4 gousses d'ail pelées
1 petit oignon pelé et coupé en quartiers
1 cuillerée à soupe de pâte de crevettes thaïlandaise
3 cuillerées à soupe de sauce de poisson thaïe ou de nuoc-mâm

La garniture
3 cuillerées à soupe de feuilles de coriandre ciselées

Il vous faudra également une poêle à bord haut, d'un diamètre de 26 cm, ou un wok.

Videz les deux boîtes de lait de coco dans la poêle ou le wok et portez à ébullition sur feu doux, en remuant. Baissez le feu et laissez cuire jusqu'à ce que l'huile de coco se sépare de la crème blanche (environ 20 minutes). Préparez alors la pâte de curry : il vous suffit de réunir tous les ingrédients dans le bol d'un mixeur et de réduire le tout en pâte fine.
Sur feu moyen, ajoutez au contenu de la poêle ou du wok la pâte de curry, puis le poisson, et portez à frémissement. Comptez 4 minutes à partir de ce moment. Ajoutez les dés de mangue, faites cuire encore 2 minutes.
Servez ce curry garni de coriandre ciselée et accompagné d'un riz parfumé thaïlandais. Si vous désirez le préparer à l'avance, ayez tous les ingrédients prêts et la pâte réservée au réfrigérateur. 10 minutes avant de servir, portez la crème de coco à ébullition, puis ajoutez la pâte de curry, le poisson et la mangue comme indiqué ci-dessus.

Filets de saumon rôtis en croûte de pesto et de pecorino

Au début, je réalisais cette recette sous le gril du four, mais, comme je m'efforce d'éliminer autant que possible ce mode de cuisson, je suis ravie de vous annoncer qu'elle est tout aussi délicieuse cuite à four très chaud. Attention, toutefois : le pesto frais acheté en alimentation italienne ou en grande surface donne de bien meilleurs résultats que le pesto en bocal.

2 personnes
2 pavés de saumon de 150 à 175 g chacun, de 2 cm d'épaisseur environ, débarrassés de leur peau
1 grosse cuillerée à soupe de pecorino romano finement râpé
2 cuillerées à soupe de pesto frais
1 filet de citron
2 cuillerées à soupe de chapelure fraîche
sel, poivre noir du moulin

Il vous faudra également une plaque de 26 x 35 cm, tapissée d'une feuille d'aluminium légèrement huilée. Préchauffez le four à 230 °C (th. 8-9).

Commencez par parer les pavés de saumon si nécessaire, et par retirer les arêtes restantes après avoir passé le doigt sur toute la surface du filet. Cela fait, déposez le poisson sur la plaque protégée d'aluminium et huilée, arrosez-le d'un généreux filet de citron, de sel et de quelques bons tours de moulin à poivre.
Remuez le pesto pour le mélanger et déposez-en 2 cuillerées à soupe dans un bol. Ajoutez le tiers de la chapelure de façon à obtenir une pâte. Étalez celle-ci sur les pavés de saumon. Mélangez ensuite le reste de la chapelure avec la moitié du pecorino râpé, et couvrez la couche de pesto de ce mélange. Saupoudrez du reste de fromage.
Glissez la plaque au milieu du four et faites cuire 10 minutes, le temps de bien faire dorer la surface. Le saumon sera juste cuit, encore moelleux. Servez avec des pommes de terre nouvelles cuites à la vapeur.

Haddock à la crème, au beurre et à la ciboulette

Cette recette est merveilleuse, d'abord parce que l'association de saveurs est parfaite, et ensuite parce qu'elle ne prend que 12 minutes du début à la fin. Servez-la avec des épinards étuvés dans leur jus avec un peu de beurre, puis égouttés : vous obtenez un festin préparé en un clin d'œil.

2 personnes
400 g de haddock fumé importé d'Écosse (*Finnan haddie*), débarrassé de sa peau, ou de cabillaud fumé
2 grosses cuillerées à soupe de crème fraîche ou de crème de Normandie
1 cuillerée à soupe de ciboulette ciselée
15 g de beurre en petits dés
15 cl de lait entier
poivre du moulin

Il vous faudra également une poêle de 26 cm de diamètre.

Déposez le poisson dans la poêle. Ajoutez un peu de poivre du moulin, mais pas de sel. Ajoutez le lait (il ne couvrira pas le poisson, mais ça n'a aucune importance), portez à frémissement et faites cuire doucement à découvert de 8 à 12 minutes pour le cabillaud fumé, juste 8 minutes pour les filets de haddock. La cuisson est facile à vérifier : quand le poisson devient opaque, c'est prêt.
À l'aide d'une spatule à poisson, retirez les filets et déposez-les sur une assiette. Sur feu vif, ajoutez la crème fraîche au contenu de la poêle. Faites cuire de 2 à 3 minutes à découvert jusqu'à ce que la sauce ait légèrement réduit et soit bien crémeuse. Incorporez le beurre au fouet et remettez le poisson dans la sauce. Parsemez de ciboulette, laissez encore bouillonner 30 secondes et servez sans attendre.

Poisson au four en croustillant de parmesan

Les filets de carrelet sont délicieux préparés ainsi, mais la sole convient également. Vous pouvez utiliser des filets plus épais, du cabillaud par exemple, mais il faudra allonger le temps de cuisson de 5 minutes. Ce plat se passe de sauce, mais vous pouvez l'accompagner d'une salade verte.

Garnissez la plaque d'aluminium ménager, puis badigeonnez celui-ci généreusement de beurre fondu. Essuyez le poisson avec du papier absorbant, étalez les filets sur l'aluminium, salez et poivrez. Réunissez dans le bol d'un robot les dés de pain et les feuilles de persil, réduisez le tout en une purée très fine, ajoutez le parmesan, le beurre fondu, 1/2 cuillerée à café de sel et un peu de poivre. Pulvérisez de nouveau pour bien mélanger. Étalez ce mélange sur le poisson, arrosez d'un peu de beurre fondu et glissez la plaque au four en position élevée ; faites cuire de 7 à 8 minutes, ou jusqu'à ce que la chapelure soit bien dorée. Servez avec les quartiers de citron et une branche de persil pour décorer.

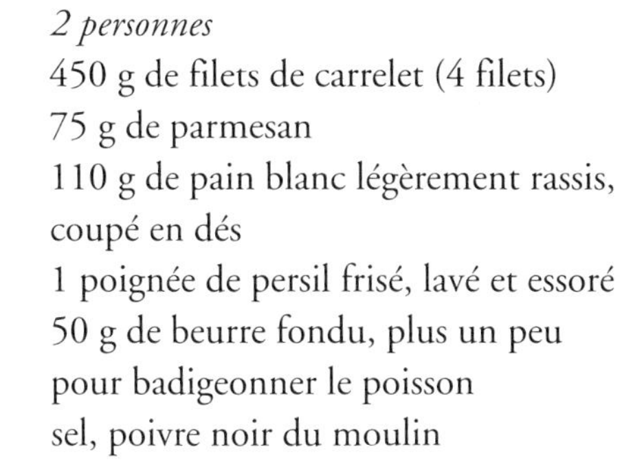

2 personnes
450 g de filets de carrelet (4 filets)
75 g de parmesan
110 g de pain blanc légèrement rassis, coupé en dés
1 poignée de persil frisé, lavé et essoré
50 g de beurre fondu, plus un peu pour badigeonner le poisson
sel, poivre noir du moulin

La garniture
1 citron coupé en quartiers
un peu de persil frisé

Il vous faudra également une plaque de 28 x 40 cm et de l'aluminium ménager.
Préchauffez le four à 230 °C (th. 8-9).

Sauce anglaise au persil

Cette sauce anglaise est un peu passée de mode, mais je crois qu'il faut donner une nouvelle jeunesse à ce genre de recette. Je l'adore en accompagnement de cabillaud au four avec une purée bien crémeuse. Ici, je l'ai associée à ma recette de croquettes de saumon favorite.

Dans une petite casserole, réunissez le lait, les branches de persil, le laurier, la tranche d'oignon, le macis et les grains de poivre ; portez à frémissement sur feu doux, puis versez le tout dans un saladier et laissez complètement refroidir. Lorsque vous voulez préparer la sauce, filtrez le lait dans la casserole (éliminez les autres ingrédients), ajoutez la farine et le beurre, mélangez bien et portez à frémissement sur feu très doux, sans cesser de fouetter avec un fouet ballon, jusqu'à ce que la sauce ait épaissi et soit lisse et satinée. Baissez le feu au minimum et faites cuire très doucement 5 minutes en remuant de temps en temps. Avant de servir, ajoutez le persil haché, la crème et le jus de citron, goûtez, salez, poivrez, et versez en saucière chauffée.

Pour 43 cl environ
quelques branches de persil plat
1 feuille de laurier
1 tranche d'oignon de 5 mm d'épaisseur
quelques filaments de macis ou 1 pincée de macis
10 grains de poivre noir
20 g de farine
40 g de beurre
4 cuillerées à soupe rases de persil plat finement haché
1 cuillerée à soupe de crème fleurette
1 cuillerée à café de jus de citron
sel, poivre noir du moulin

Croquettes de saumon

Souvenez-vous que cette recette est meilleure préparée avec du saumon en boîte qu'avec du saumon frais. Alors ne vous donnez pas la peine de faire cuire du saumon spécialement pour cela.

12 croquettes (6 personnes)

Les croquettes

425 g de saumon conservé au naturel
275 g de pommes de terre bintje pelées et coupées en gros dés
2 cuillerées à soupe de mayonnaise
2 cuillerées à soupe rases de persil plat finement haché
2 cuillerées à soupe rases de câpres au sel ou au vinaigre, égouttées et hachées
6 cornichons hachés
2 gros œufs durs écalés et finement hachés
1 cuillerée à dessert de crème d'anchois ou 4 anchois à l'huile, égouttés et écrasés
2 cuillerées à soupe de jus de citron
1 pincée de macis en poudre
1 pincée de cayenne
sel, poivre noir du moulin

La panure

un peu de farine
1 gros œuf battu
75 g de farine de matza (pain azyme) ou de chapelure blanche fraîche
2 cuillerées à soupe (environ) d'huile d'arachide ou d'une autre huile sans goût
10 g de beurre environ

Pour servir

1 recette de sauce au persil (page ci-contre)
quelques branches de persil
quartiers de citron

Commencez par faire cuire les pommes de terre 25 minutes environ à l'eau bouillante salée jusqu'à ce qu'elles soient cuites à cœur (si elles sont insuffisamment cuites, la purée contiendra des grumeaux). Égouttez-les et réduisez-les en purée homogène avec la mayonnaise à l'aide d'un fouet électrique. Salez et poivrez.

Dans un grand saladier, combinez tous les ingrédients, y compris la purée, de façon à obtenir un mélange très intime. Goûtez, rectifiez l'assaisonnement. Laissez complètement refroidir, couvrez le saladier et réservez-le au moins 2 heures au réfrigérateur, le temps de raffermir le mélange.

Lorsque vous vous préparez à faire cuire les croquettes, farinez légèrement un plan de travail, renversez-y la préparation à croquettes et façonnez-la, avec les mains, en un long boudin de 5 à 6 cm de diamètre. Découpez ce boudin en une douzaine de croquettes, façonnez chacune d'elles en forme de palet plat et régulier, et trempez les croquettes dans l'œuf battu puis dans la farine de matza (ou dans la chapelure) en appuyant bien de façon à les enrober soigneusement et sur toute la surface.

Dans une grande poêle, faites chauffer sur feu vif l'huile et le beurre. Lorsqu'ils sont très chauds, déposez-y la moitié des croquettes, puis baissez le feu de vif à moyen et faites-les cuire 4 minutes de chaque côté. Égouttez sur du papier sulfurisé froissé et gardez au chaud. Recommencez l'opération avec le reste des croquettes ; ajoutez un peu d'huile et de beurre si nécessaire. Servez immédiatement sur des assiettes chaudes avec la sauce au persil, garni de branches de persil et accompagné de quartiers de citron.

Page ci-contre : croquettes de saumon servies avec une sauce anglaise au persil.

5 Viandes

Le but de ce chapitre est
de vous encourager à apprécier
le fait de manger et de cuisiner
de la viande de qualité.
Il ne faut, évidemment pas
consommer de la viande tous
les jours, et une alimentation
saine et attrayante devrait être
variée et inclure du poisson
et des repas végétariens.
Mais quand il nous arrive
de cuisiner de la viande, nous
devons impérativement savoir
comment en tirer ce qu'elle
a de meilleur.

Sauté de bœuf sud-américain, salade d'oignons rouges marinés

Un festival de couleurs, de saveurs et de textures. C'est un plat très indiqué pour recevoir des amis, car les légumes sont déjà inclus : accompagnez d'un bon riz blanc, c'est tout.

4 à 6 personnes
900 g de paleron, de macreuse ou de basses-côtes taillé en dés de 2,5 cm
1 grosse cuillerée à soupe de graines de cumin
1 grosse cuillerée à soupe de graines de coriandre
2 cuillerées à soupe d'huile d'olive
2 oignons rouges moyens, pelés et grossièrement hachés
3 chilis rouges moyens, débarrassés de leurs graines et finement hachés
6 gousses d'ail pelées et écrasées
1 cuillerée à soupe rase de farine
1 boîte de tomates pelées de 220 g
45 cl de bière brune
15 cl de vin rouge
350 g de courge sucrine pelée, débarrassée de ses graines et coupée en dés de 2,5 cm
225 g de maïs doux frais (prélevé au couteau sur 2 épis) ou soigneusement décongelé
1 poivron rouge débarrassé de ses graines et taillé en morceaux de 4 cm
sel, poivre noir du moulin

La salade d'oignons rouges
1 oignon rouge moyen, pelé, coupé en deux et taillé en tranches fines
le zeste râpé de 1 citron vert et le jus de 2 citrons verts
3 cuillerées à soupe de feuilles de coriandre fraîches ciselées

Il vous faudra également une cocotte à couvercle de 3,5 litres.
Préchauffez le four à 150 °C (th. 4-5).

Commencez par faire griller les épices : versez-les dans une petite poêle sur feu moyen, et remuez-les pendant 1 à 2 minutes, jusqu'à ce qu'elles commencent à brunir et à sauter. Versez-les ensuite dans un mortier et pilez-les en une poudre fine.

Essuyez la viande avec du papier absorbant, puis mettez la cocotte sur feu vif. Ajoutez 1 cuillerée à soupe d'huile, et, quand elle est très chaude, faites-y dorer la viande en plusieurs fois (6 cubes à la fois), jusqu'à ce qu'elle soit bien dorée sur toutes les faces. Au fur et à mesure que la viande est dorée, débarrassez-la sur une assiette et faites dorer le reste. Enfin, ajoutez le reste de l'huile dans la cocotte et faites frire les oignons, les chilis et l'ail jusqu'à ce qu'ils soient légèrement dorés. Ajoutez alors les épices, remettez la viande dans la cocotte, ajoutez les tomates, la bière et le vin ; salez, poivrez, remuez bien, portez à frémissement, couvrez, glissez la cocotte au four et faites cuire 2 heures.

Au bout de ce temps, ajoutez la courge, le maïs et le poivron rouge, remuez encore et remettez au four. Faites cuire de 40 à 45 minutes. Pendant ce temps, préparez la salade : mélangez dans un bol les fines tranches d'oignon avec le zeste de citron vert, le jus de citron vert et la coriandre. Laissez mariner au moins 15 minutes avant de servir en condiment avec le sauté de bœuf.

Mini-filets en croûte

Qui dit repas de luxe, dit filet de bœuf en croûte. Pas la peine de préparer ainsi le rôti entier, vous pouvez en faire autant avec des tranches de filet, les enrober d'une farce aux champignons sauvages et cuire le tout dans une très mince abaisse de pâte feuilletée. Vous obtiendrez une viande juteuse, une saveur de champignon concentrée et le fin croustillant du feuilletage : une association gastronomique incomparable.
Si vous désirez préparer ces filets en croûte plusieurs heures à l'avance, réservez-les au réfrigérateur et glissez-les au four au dernier moment.

4 personnes
4 steaks de 175 g chacun, bien épais, taillés dans le cœur du filet
250 g de pâte feuilletée pur beurre
1 cuillerée à soupe de graisse de rôti de bœuf ou de beurre clarifié
un peu de cognac
1 gros œuf battu
18 cl de vin rouge
sel, poivre noir du moulin

La farce
10 g de cèpes séchés
1 gros oignon pelé
225 g de champignons de couche ouverts, lavés et essuyés
25 g de beurre
un peu de muscade râpée
sel, poivre noir du moulin

Il vous faudra également une plaque à pâtisserie épaisse, bien beurrée, et une poêle à fond épais.

C'est la farce qu'il faut préparer en premier, car elle nécessite une réfrigération. Faites tremper les cèpes 20 minutes dans un peu d'eau bouillante et, pendant ce temps, hachez l'oignon et les champignons de couche aussi finement que possible — soit en quelques secondes dans un robot, soit au couteau —, très soigneusement. Essorez les cèpes trempés, puis hachez-les tout aussi finement. Faites ensuite fondre le beurre dans une petite casserole et faites-y doucement suer les oignons et les champignons pendant 1 minute. Salez, poivrez généreusement, ajoutez quelques râpures de muscade. Baissez le feu au maximum et faites cuire à découvert : le jus des champignons va doucement s'évaporer ; comptez environ 35 minutes en remuant régulièrement, et vous obtiendrez enfin une jolie sauce très concentrée, sans liquide, embaumant le champignon. Versez cette pâte dans un bol à l'aide d'une cuillère, laissez refroidir et réservez au réfrigérateur.

Quelques heures avant de préparer les filets en croûte, faites chauffer la graisse ou le beurre clarifié, et quand c'est très chaud (« aussi chaud que vous l'osez », selon l'expression d'un de mes amis chefs), poêlez-y les steaks deux par deux, 30 secondes de chaque côté. Ne ratez pas cette étape : il ne s'agit pas de faire cuire les steaks mais de sceller leur jus et leur saveur au moyen d'une croûte bien saisie. Retirez du feu, laissez tiédir la viande sur une assiette, mais ne lavez pas la poêle, vous en aurez encore besoin.

Pendant que la viande refroidit, découpez la pâte feuilletée en 4 petits pâtons et abaissez très finement chacun d'eux en un carré de 19-20 cm de côté. Parez-les de façon à obtenir une forme carrée bien régulière et réservez les chutes. Quand les steaks ont refroidi, badigeonnez-les d'un peu de cognac, salez, poivrez, puis enduisez chaque abaisse d'œuf battu. Réservez 1 cuillerée à soupe de farce aux champignons pour préparer la sauce, et déposez 1/8 de la farce restante au milieu de chaque abaisse. Couvrez d'un steak. Déposez la même quantité de farce sur chaque steak, ramenez deux coins opposés de l'abaisse au centre du steak et soudez-les ensemble en « bordant » bien toute la surface de la pâte rabattue comme si vous vouliez emballer un paquet. Dorez à l'œuf la surface de la pâte rabattue, puis ramenez de même, au centre du paquet, les deux coins de pâte restants et soudez-les au centre de façon à enfermer hermétiquement le contenu. Attention, n'appuyez pas trop fort pour souder ! Scellez doucement tous les bords de pâte, sans serrer, ce qui aurait pour effet de faire éclater le paquet à la chaleur. Si vous désirez utiliser les chutes pour appliquer un décor, n'hésitez pas.

À l'aide d'une spatule à poisson, soulevez doucement les paquets et déposez-les sur la plaque, couvrez d'un linge propre et réservez au moins 30 minutes au réfrigérateur, ou jusqu'au moment de la cuisson. Ce moment venu, préchauffez le four à 220 °C pendant 10 minutes, glissez-y la plaque en position élevée, et faites cuire 25 minutes si vous désirez des filets à point. Pour une viande plus cuite, comptez 5 minutes de plus, et pour une cuisson bleue, 5 minutes de moins. Pendant la cuisson, versez le vin et la pâte de champignons réservée dans la poêle, faites réduire le tout d'un tiers sur feu moyen. Cela déglacera les sucs et fournira une sauce que vous pourrez verser à la cuillère sur les assiettes de service juste avant de les déposer sur la table. Attention : faites asseoir vos invités avant de servir, car les filets continuent de cuire dans le feuilletage si vous les faites attendre hors du four.

Porc braisé à l'espagnole aux pommes de terre et aux olives

Dans la première version de cette recette, j'utilisais des olives dénoyautées, mais, à présent, je les laisse entières — c'est plus joli. Avec ce porc longuement braisé, imprégné des parfums des poivrons et du vin rouge, je fais cuire des pommes de terre. Il ne manque plus qu'un légume vert ou une salade pour compléter le repas.

4 à 6 personnes
900 g d'épaule de porc fermier, parée et coupée en dés
450 g de pommes de terre à chair ferme, coupées en deux si elles sont grosses
40 g d'olives noires
40 g d'olives vertes
450 g de tomates mûres
2 cuillerées à soupe d'huile d'olive
2 oignons moyens pelés et coupés en deux, puis en demi-lunes
1 gros poivron rouge épépiné et coupé en lanières de 3 cm de largeur
2 gousses d'ail pelées et hachées
1 cuillerée à soupe de thym frais haché, plus quelques sommités fleuries
30 cl de vin rouge
2 feuilles de laurier
sel, poivre noir du moulin

Il vous faudra également une cocotte de 3,5 l munie d'un couvercle. Préchauffez le four à 140 °C (th. 4).

Mondez les tomates : couvrez-les d'eau bouillante et laissez-les 1 minute. Égouttez-les et pelez-les, puis concassez-les grossièrement. Dans la cocotte, faites chauffer 1 cuillerée à soupe d'huile sur feu vif. Essuyez les morceaux de porc avec du papier absorbant et faites-les dorer dans l'huile sur toutes les faces, six morceaux à la fois. Déposez-les sur une assiette à mesure qu'ils dorent. Toujours sur feu vif, ajoutez le reste de l'huile, puis les oignons et les poivrons. Faites-les dorer 6 minutes, jusqu'à ce qu'ils prennent couleur sur les bords. Ajoutez alors l'ail, remuez 1 minute, puis ajoutez la viande réservée, le thym haché, les branches de thym, les tomates, le vin rouge, les olives et le laurier. Portez l'ensemble à frémissement, salez et poivrez généreusement, couvrez et glissez la cocotte au four. Faites cuire 1 h 15 environ. Ajoutez alors les pommes de terre, couvrez et faites cuire 45 minutes au four, ou jusqu'à ce que les pommes de terre soient tendres.

Côtes de porc au confit de pruneaux, de pommes et d'échalotes

J'aime beaucoup cette recette simple et savoureuse. Le confit de fruits et d'échalotes s'harmonise également très bien avec un canard rôti croustillant ou un pâté de campagne.

4 personnes
4 belles côtes de porc fermier
1 cuillerée à soupe rase de farine salée et poivrée
1 cuillerée à soupe d'huile d'arachide ou d'une autre huile sans goût
10 g de beurre

Le confit
150 g de pruneaux d'Agen dénoyautés
1 grosse pomme granny smith
4 échalotes pelées et taillées en 6 parts longitudinales
30 cl de cidre brut
6 cl de vinaigre de cidre
1 cuillerée à soupe de vergeoise de canne brune
2 pincées de poudre de clou de girofle
1 pincée de poudre de macis

La glace de cidre
25 cl de cidre brut

Il vous faudra une poêle à frire épaisse, ou en fonte, de 26 cm de diamètre.

Vous pouvez préparer le confit quand vous voulez ; la veille par exemple. Pour ce faire, coupez la pomme non pelée en quartiers, retirez les cœurs, puis taillez les quartiers en tranches de 1 cm d'épaisseur. Réunissez tous les ingrédients du confit dans une casserole moyenne, portez à frémissement, et laissez frémir sur feu très doux, à découvert, entre 45 minutes et 1 heure (il vous faudra remuer de temps en temps) jusqu'à ce que le jus soit réduit à la consistance d'un liquide sirupeux.

Au moment de faire cuire les côtes de porc, recouvrez-les légèrement de farine salée et poivrée et tapotez-les pour éliminer le surplus de farine. Faites chauffer l'huile dans la poêle et, quand elle est très chaude, ajoutez le beurre. Dès qu'il mousse, déposez les côtes de porc dans la poêle et continuez la cuisson 25 minutes sur feu doux en les retournant à mi-cuisson. Pendant ce temps, faites chauffer le confit de fruits, soit dans une casserole, soit à four doux, dans un récipient recouvert d'une feuille d'aluminium. Chauffez en même temps les assiettes de service. Le confit ne doit pas être très chaud, il demande juste à être tiédi. Au bout de 25 minutes, augmentez le feu de doux à vif sous la poêle. Versez-y le cidre restant et faites bouillir 5 minutes environ, jusqu'à réduction de moitié. Servez les côtes de porc sur les assiettes chauffées, arrosées de leur glace de cuisson et accompagnées de confit tiédi.

Rôti de porc vite fait au romarin, pommes caramélisées

Difficile à croire, mais vous pouvez servir un rôti de porc à six personnes en quarante minutes montre en main. Le voici : délicieux, d'une simplicité enfantine avec, en plus, la possibilité de le préparer quelque temps avant cuisson. L'essayer, c'est l'adopter, et pour longtemps.

6 personnes

2 beaux filets mignons de porc fermier (350 g chacun après parure)
1 grosse cuillerée à soupe de feuilles de romarin fraîches
3 pommes granny smith non pelées, évidées et coupées en 6 quartiers
2 gousses d'ail pelées et taillées en tranches fines
40 g de beurre
2 cuillerées à dessert de vinaigre de cidre
1 petit oignon pelé et finement haché
1 cuillerée à soupe de cassonade
25 cl de cidre brut
2 cuillerées à soupe rases de crème fraîche allégée
sel, poivre noir du moulin

Il vous faudra également un plat à rôtir de 28 x 30 cm, légèrement beurré.
Préchauffez le four à 230 °C (th. 8-9).

À l'aide d'un petit couteau tranchant, pratiquez des incisions profondes sur toute la surface de la viande et insérez-y les tranches d'ail. Dans un mortier, pilez légèrement les feuilles de romarin pour les écraser et libérer leurs huiles essentielles; puis hachez-les finement au couteau.
Faites fondre le beurre et mélangez-le au vinaigre de cidre. Enduisez la viande d'une partie de ce mélange, frottez-la de la moitié du romarin haché; salez et poivrez. Étalez l'oignon haché sur toute la surface du plat de cuisson beurré et déposez le porc sur le lit d'oignons. Toute cette étape peut être préparée à l'avance et le résultat mis en attente au réfrigérateur, couvert de film alimentaire.

Lorsque vous vous apprêtez à faire cuire la viande, sortez-la du réfrigérateur 15 minutes à l'avance. Disposez les pommes autour des filets mignons, saupoudrez-les de la cassonade et du reste de romarin. Glissez le plat au four en position élevée et faites cuire de 25 à 30 minutes (selon l'épaisseur des filets) jusqu'à ce que le porc soit cuit, sans exsudation de jus rosé.

Sortez le plat du four, débarrassez le porc et les pommes sur un plat chauffé, couvrez d'aluminium ménager et gardez au chaud. Pendant ce temps, versez un peu de cidre sur le plat de cuisson, sur feu moyen, pour déglacer le jus et les oignons. Versez le déglaçage obtenu dans une casserole sur feu moyen, ajoutez le reste de cidre et faites réduire d'un tiers, pendant environ 5 minutes. Incorporez la crème fraîche au fouet, laissez frémir encore quelques instants, puis salez et poivrez. Durant ces 10 minutes environ, la viande a eu le temps de reposer. Déposez-la sur une planche et découpez-la en tranches épaisses, puis disposez ces tranches sur le plat de service avec les pommes. Arrosez de la sauce et servez aussi vite que possible. Un accompagnement de pommes de terre rôties au four et de chou rouge convient particulièrement bien à cette recette.

Côtes de porc en marinade jamaïcaine, *salsa* d'ananas grillé

À la Jamaïque, on prépare la marinade appelée jerk *à partir d'ingrédients frais ou d'épices et d'herbes séchées. Comme je ne dispose pas souvent de ces derniers, voici la version fraîche du* jerked seasoning caraïbe. *C'est un assaisonnement délicieux pour barbecue ou pour une simple grillade.*

6 personnes
6 belles côtes de porc fermier
1 gros piment rouge débarrassé de ses graines
la moitié d'un petit oignon rouge
1/2 cuillerée à café de persil plat haché
1 gousse d'ail pelée
2 cm de racine de gingembre frais, pelée et coupée en tranches fines
1/2 cuillerée à café de fleur de sel
1/2 cuillerée à café de poudre de poivre de la Jamaïque
le quart d'une noix de muscade, râpée
1 grosse pincée de cannelle en poudre
1 pincée de poudre de clou de girofle
le jus de 1/2 citron
1 cuillerée à soupe de sauce de soja japonaise
1 cuillerée à soupe d'huile d'arachide ou de toute autre huile sans goût
1 cuillerée à soupe de sucre mélasse (muscovado ou vergeoise de canne)
30 cl de vin blanc sec
sel, poivre noir du moulin

La salsa *à l'ananas*
1 ananas moyen
1 cuillerée à soupe d'huile d'arachide ou de toute autre huile sans goût
1 cuillerée à soupe de miel liquide
1 petit oignon rouge pelé et très finement haché
la moitié d'un piment rouge moyen débarrassé de ses graines
sel, poivre noir du moulin

Il vous faudra également un plat à rôtir de 28 x 40 cm.

Commencez la préparation à l'avance : dégraissez les côtes de porc ; salez-les et poivrez-les. Réunissez tous les autres ingrédients (excepté le vin) dans le bol d'un mixeur ou d'un robot et réduisez en pâte fine. Étalez la moitié de cette pâte sur le fond d'un plat creux, couvrez des côtes de porc ; étalez ensuite le reste de la pâte sur les côtes de porc. Couvrez de film alimentaire et laissez reposer quelques heures afin de laisser les saveurs se développer.

Préparez la *salsa* pendant le repos de la viande. Préchauffez le gril du four, mélangez l'huile, le miel et une bonne quantité de sel et de poivre. À l'aide d'un couteau tranchant, découpez horizontalement le sommet de l'ananas ainsi que sa base. Tenez-le debout sur une planche et retirez la peau avec un grand couteau-scie. Retirez les yeux avec le bout d'un économe. Coupez l'ananas en deux dans le sens de la longueur, posez chaque moitié à plat sur le plan de travail et taillez-la en 6 tranches longitudinales. Éliminez le cœur, badigeonnez chaque tranche de miel et disposez les tranches sur un plat à rôtir en métal. Placez-les à 4 cm du gril du four et faites griller de 10 à 15 minutes jusqu'à ce qu'ils soient bien caramélisés. Retournez-les une fois au cours de la cuisson. Retirez du gril et laissez tiédir quelques instants, puis taillez l'ananas grillé en dés de 1 cm environ. Mélangez-les aux autres ingrédients de la *salsa* et réservez le tout.

Au moment de faire cuire les côtes, préchauffez le gril du four pendant au moins 10 minutes. Déposez les côtes sur le plat à griller qui a servi à cuire les tranches d'ananas, en vous assurant que toute la surface de la viande est bien enduite de marinade. Faites griller à 7,5 cm de la source de chaleur pendant 15 minutes environ. Retournez-les, étalez-y le reste de marinade et faites encore griller 15 minutes jusqu'à ce que la surface des côtes soit bien croustillante. Débarrassez les côtes de porc sur un plat de service, et raclez le plat de cuisson afin de récupérer toute la marinade grillée dans une petite casserole. Ajoutez le vin blanc, laissez bouillir et réduire d'un tiers, et versez cette sauce sur le porc avant de saler et poivrer. Servez avec la *salsa*.

Gigot d'agneau rôti

J'aime cette façon de préparer le gigot, surtout en hiver. Je l'arrose souvent au cours de la cuisson afin de le garder juteux et plein de saveur, puis je déglace soigneusement le plat afin d'incorporer les sucs caramélisés dans la sauce, qui est l'une des meilleures sauces jamais inventées : acidulée, avec une pointe de douceur et de rondeur, elle se marie parfaitement à l'agneau rôti.

De 6 à 8 personnes

1 gigot d'agneau de 2,5 kg
1 petit oignon pelé et coupé en tranches
quelques branches de romarin frais pour la garniture
sel, poivre du moulin

La sauce

2 cuillerées à soupe de farine
1 cuillerée à soupe rase de moutarde anglaise en poudre ou de moutarde forte de Dijon
60 cl de beaujolais ou de tout autre vin rouge léger
5 grosses cuillerées à soupe de gelée de groseille de très bonne qualité
3 cuillerées à soupe de sauce Worcestershire
le jus de 1 citron
sel, poivre noir du moulin

Il vous faudra également un plat à rôtir en métal bien épais, pouvant aller sur le feu.
Préchauffez le four à 190 °C (th. 6-7).

Déposez le gigot dans le plat à rôtir ; glissez les tranches d'oignon sous la viande. Frottez le gigot entier de sel et de poivre du moulin. Glissez le plat au four préchauffé, en position médiane. Faites rôtir le gigot 30 minutes par livre : pour un gigot de 2,5 kg, comptez 2 h 30. Arrosez-le au moins trois fois durant la cuisson afin de le garder juteux et succulent. Si vous aimez l'agneau un peu rosé, comptez 30 minutes de cuisson en moins. Pour vérifier le degré de cuisson, piquez profondément la viande d'une brochette, retirez-la, puis pressez la viande avec le plat de la brochette. La coloration du jus qui s'écoule, plus ou moins rosée, vous renseignera sur le degré de cuisson désiré. Lorsque le gigot est cuit comme vous l'aimez, transférez-le sur une planche à découper et laissez-le reposer 30 minutes dans un endroit tiède (recouvrez-le d'une feuille d'aluminium si vous craignez les courants d'air).

Pendant ce temps, préparez la sauce. Dégraissez le jus à la cuillère en inclinant le plat de cuisson. Laissez l'équivalent de 2 cuillerées à soupe de graisse. Placez le plat de cuisson sur feu doux et incorporez au jus partiellement dégraissé la farine et la moutarde jusqu'à obtention d'une pâte homogène qui aura absorbé la totalité des sucs et de la graisse. Incorporez alors, petit à petit, le vin en remuant avec une spatule en bois. Lorsque vous avez ajouté la moitié du vin, remuez la sauce à l'aide d'un fouet à main et fouettez jusqu'à ce que tout le vin soit incorporé à la sauce. Ajoutez ensuite, tout simplement, la gelée de groseille, la sauce Worcestershire et le jus de citron. Salez, poivrez et fouettez jusqu'à dissolution complète de la gelée.

Sur feu le plus doux possible, laissez réduire la sauce pendant 15 minutes avant de la verser dans une saucière chauffée. Découpez l'agneau, garnissez-le de brins de romarin frais, arrosez-le d'un peu de sauce et servez le reste séparément.

Rognons d'agneau aux deux moutardes

Voici une excellente recette à préparer en été, quand les rognons d'agneau sont au meilleur de leur saveur. J'aime, pour ma part, garder à la moutarde une saveur subtile, mais vous pouvez la doser de façon à l'accentuer un peu plus.

2 ou 3 personnes
500 g de rognons d'agneau
1 cuillerée à soupe rase de moutarde anglaise en poudre
1 cuillerée à soupe de moutarde en grains
10 g de beurre
1 cuillerée à dessert d'huile d'arachide ou de toute autre huile sans goût
1 petit oignon pelé, coupé en deux et taillé en fines demi-lunes
110 g de petits champignons de Paris ouverts, coupés en tranches de 5 mm
8 cl de vin blanc sec
20 cl de crème fraîche
sel, poivre noir du moulin

Il vous faudra également une poêle de 26 cm de diamètre.

Préparez les rognons : coupez-les en deux dans le sens de la longueur, retirez les parties blanches centrales avec des ciseaux, puis éliminez la peau qui entoure les rognons. Posez la poêle sur feu vif et faites-y chauffer l'huile et le beurre. Lorsqu'ils fument, ajoutez les rognons et faites-les cuire 3 minutes en les retournant à mi-cuisson. Débarrassez-les sur une assiette, remplacez-les dans la poêle par les oignons et faites revenir ceux-ci de 3 à 4 minutes, jusqu'à ce qu'ils soient fondus et colorés. Ajoutez alors les champignons et faites cuire de 1 à 2 minutes, jusqu'à ce qu'ils rendent un peu de jus. Ajoutez le vin blanc ; laissez cuire et réduire de moitié. Ajoutez la crème fraîche et les deux moutardes. Salez et poivrez, remuez bien et continuez la réduction pendant 2 à 3 minutes. Ajoutez à cette sauce les rognons réservés et faites cuire encore 1 minute, le temps de les réchauffer. Servez immédiatement, avec un riz basmati.

Entrecôte poêlée, sauce au poivre concassé

Le steak au poivre doit être accompagné du meilleur vin rouge et, simplement, d'une bonne salade verte et de pommes de terre vapeur. Deux détails sont importants : concassez vous-même, grossièrement, les grains de poivre noir et préparez un bon bouillon de bœuf bien corsé.

2 personnes

2 entrecôtes ou noix d'entrecôte de 225 g chacune, épaisses de 2,5 cm au moins, à température ambiante (retirez-les du réfrigérateur au moins 1 heure à l'avance)
2 grosses cuillerées à soupe de crème fraîche
2 cuillerées à café de poivre noir fraîchement concassé
30 cl de bouillon de bœuf fait maison
2 cuillerées à soupe de cognac
1 noix de beurre
1 cuillerée à café d'huile végétale
fleur de sel

Il vous faudra également une poêle en fonte de 26 cm de diamètre.

Commencez par faire réduire le bouillon de bœuf de moitié, 10 minutes environ, dans une petite casserole sur feu moyen. Goûtez, rectifiez l'assaisonnement en sel si nécessaire. Mesurez le cognac et versez-le dans un petit pichet.

Quand les steaks sont à température ambiante, salez-les généreusement. Posez la poêle sur feu vif et, quand elle est très chaude, ajoutez le beurre et l'huile, qui doivent mousser immédiatement. Déposez les steaks dans la poêle et faites-les cuire sur feu vif, 3 minutes sur une face pour une cuisson à point ou 2 minutes sur une face pour une cuisson saignante. Servez-vous d'un minuteur, efforcez-vous de ne pas toucher à la viande pendant cette cuisson. Retournez les steaks et comptez 2 minutes (à point) ou 1 minute (saignant). Versez le cognac, laissez-le bouillonner et réduire un instant, puis ajoutez le bouillon réduit, puis la crème fraîche et le poivre concassé. Remuez bien, laissez réduire 1 minute de plus. Servez les steaks sur assiettes chauffées, nappés de la sauce.

Gigot d'agneau rôti à l'ail et au romarin

6 à 8 personnes
1 gigot d'agneau de 2 kg environ
3 grosses gousses d'ail pelées et finement émincées en 24 lamelles longitudinales
2 grosses branches de romarin frais détaillées en 24 brindilles
1 petit oignon pelé
sel, poivre noir du moulin

Il vous faudra également un plat à rôtir bien épais, de 23 x 28 cm à la base et de 5 cm de hauteur. Préchauffez le four à 190 °C (th. 6-7).

Ce gigot peut être servi tout simplement avec son jus dégraissé et légèrement déglacé à l'eau chaude ou au bouillon, mais vous pouvez essayer aussi la sauce à l'oignon que je donne ci-dessous. Je crois qu'il n'y a pas de meilleur accompagnement que les pommes lyonnaises.

Pratiquez, sur toute la surface du gigot, 24 incisions avec un couteau tranchant. Insérez dans chaque incision une lamelle d'ail, faites-la suivre d'une brindille de romarin. Quand vous avez ainsi rempli chaque incision, frottez généreusement la viande de sel fin et de poivre du moulin. Coupez l'oignon en deux et déposez-le au fond du plat à rôtir, puis déposez le gigot sur les deux moitiés d'oignon. Couvrez d'une feuille d'aluminium sans serrer, puis faites cuire 1 h 30 au four. Au bout de ce temps, retirez l'aluminium et laissez cuire encore 30 minutes.

Retirez le gigot du four, couvrez une nouvelle fois d'aluminium et laissez reposer 20 minutes.

Sauce à l'oignon et au romarin

Pour 60 cl environ
1 grosse cuillerée à soupe de feuilles de romarin
1 gros oignon pelé et finement haché
25 g de beurre
25 g de farine
18 cl de lait
18 cl de bouillon de légumes
2 cuillerées à soupe de crème fraîche
sel, poivre noir du moulin

Cette sauce s'harmonise délicieusement avec le gigot ci-dessus, avec toute grillade d'agneau, ou avec des saucisses grillées accompagnées de purée. Vous pouvez la préparer pendant la cuisson du gigot.

Dans une petite casserole, faites fondre le beurre et faites-y suer les oignons sur feu très doux pendant 5 minutes. Il ne faut pas leur laisser prendre couleur ; surveillez-les donc étroitement. Pendant ce temps, écrasez légèrement les feuilles de romarin dans un mortier afin de libérer leurs huiles essentielles, puis hachez-les très finement au couteau et ajoutez-les aux oignons. Continuez la cuisson 15 minutes sur feu très doux, toujours en laissant prendre couleur le moins possible. À l'aide d'une cuillère en bois, incorporez la farine dans la fondue d'oignons jusqu'à obtention d'une pâte homogène, puis ajoutez le lait, petit à petit, en remuant. Prenez un fouet ballon et ajoutez le bouillon petit à petit en fouettant vivement.

Goûtez, salez et poivrez. Laissez encore mijoter sur feu très doux pendant 5 minutes. Retirez la sauce du feu et passez-en la moitié au mixeur, puis versez le contenu du mixeur dans la casserole pour réunir les deux moitiés. Réchauffez doucement, ajoutez la crème fraîche et servez en saucière chauffée.

Gigot rôti à l'ail et au romarin, servi avec des pommes lyonnaises.

Petites tourtes au bœuf, aux rognons et aux champignons

Le steak and kidney pie, grand classique anglais au fumet savoureux et aux saveurs fondantes, est beaucoup plus facile à faire qu'on ne le croit. Il faut utiliser exclusivement du rognon de bœuf ou de génisse, finement émincé, afin d'obtenir une sauce onctueuse et subtilement parfumée.

6 personnes
900 g de paleron ou de basses-côtes, taillé en dés de 2,5 cm
225 g de champignons de couche ouverts, coupés en quartiers
225 g de rognon de bœuf ou de génisse, paré et coupé en très petits dés
2 cuillerées à soupe de graisse de rôti de bœuf ou de beurre
225 g d'oignons pelés et coupés en tranches épaisses
2 cuillerées à soupe de farine
2 cuillerées à soupe de sauce Worcestershire
1 cuillerée à café de thym frais effeuillé et finement haché
60 cl de bouillon de bœuf bien corsé
sel, poivre noir du moulin

La pâte
350 g de farine environ
1 pincée de sel
75 g de saindoux à température ambiante
75 g de beurre à température ambiante
environ 1 cuillerée à soupe et demie d'eau froide
un peu d'œuf battu pour la dorure

Il vous faudra également six moules ronds et profonds de 13 cm de diamètre (contenance 43-45 cl), par exemple des bols à soupe en porcelaine épaisse ; ou alors une tourtière profonde de 25 cm de diamètre environ ; ainsi qu'une cocotte en fonte de 3,5 l de contenance.
Préchauffez le four à 140 °C (th. 4).

Je pense que ce plat gagne en saveur si l'on prend le temps de bien faire dorer la viande en début de recette. Tamponnez-la avec du papier absorbant. Faites fondre 1 cuillerée à soupe de graisse de rôti dans une grande poêle à fond épais. Quand elle fume, ajoutez la viande, quelques morceaux à la fois. Faites-la dorer sur toutes les faces sur feu vif, en réservant au fur et à mesure les morceaux dorés dans la cocotte.

Cette étape accomplie, ajoutez dans la poêle le reste de la graisse de rôti. Répétez exactement l'opération précédente avec le rognon émincé et ajoutez-le à la viande contenue dans la tourtière. Toujours sur feu vif, faites revenir les oignons dans la poêle en remuant bien, jusqu'à ce qu'ils soient légèrement dorés (de 6 à 7 minutes). Ajoutez-les aux viandes en les soulevant avec une écumoire. Posez la cocotte sur feu moyen pendant 2 minutes, puis salez et poivrez, ajoutez la farine en pluie, remuez avec une cuillère en bois jusqu'à ce qu'elle soit bien incorporée aux jus de cuisson. Le résultat n'est pas très esthétique pour le moment, mais cela n'a pas d'importance. Ajoutez la sauce Worcestershire, le thym, les champignons, puis le bouillon. Salez et poivrez. Remuez, portez à frémissement, couvrez la cocotte et glissez-la dans le four préchauffé, en position médiane. Faites cuire 2 heures environ, ou jusqu'à ce que la viande soit très tendre.

Préparez la pâte pendant cette cuisson. Tamisez la farine avec le sel dans un grand saladier en tenant le tamis bien haut ; ajoutez le saindoux et le beurre en morceaux. Incorporez-les à la farine du bout des doigts, en soulevant haut les ingrédients afin de les aérer. Lorsque vous obtenez un mélange grumeleux assez homogène, ajoutez un peu d'eau glacée en pluie. Mélangez la pâte avec la lame d'un couteau et ramassez-la en boule avec les mains, en ajoutant de l'eau si nécessaire afin d'obtenir une pâte lisse qui se détache bien des parois du bol en les laissant propres. Glissez la pâte dans un sac en plastique et réservez-la 30 minutes au réfrigérateur.

Quand la viande est cuite, répartissez le contenu de la cocotte entre les bols ou versez-le dans la tourtière.

Portez la température du four à 220 °C (th. 8). Abaissez la pâte sur un plan fariné. En vous aidant d'une petite assiette de 14 cm de diamètre, détaillez 6 disques de pâte. Vous aurez probablement besoin d'abaisser à nouveau les chutes de pâte pour obtenir vos 6 disques.

Reprenez les chutes de pâte et abaissez-les de nouveau en un ruban de 7,5 cm x 35 cm, et divisez ce ruban en six bandes. Humectez les bords des moules ; foncez les bords avec les bandes de pâte en faisant bien adhérer celles-ci sur toute la circonférence du moule.

Elles doivent pénétrer légèrement dans la garniture (voir photo). Humectez les bandes de pâte et couvrez les moules des disques de pâte en scellant bien les deux surfaces de pâte avec les doigts. Rognez les bords avec le dos d'une lame de couteau, puis pincez-les pour les sceller et façonnez-les en feston en tirant et poussant alternativement avec les doigts (voir photo). Si vous préparez une grande tourte, taillez un disque de pâte de diamètre un peu supérieur à celui de la tourtière et confectionnez la bande de pâte à partir des chutes.

Une fois les tourtes scellées, pratiquez un trou au centre de chacune afin de laisser échapper la vapeur pendant la cuisson, et badigeonnez la surface d'œuf battu. Déposez les tourtes sur une grande plaque et mettez le tout au four, en position médiane, et faites cuire de 25 à 30 minutes pour les petites tourtes et de 35 à 40 minutes pour une grande. La pâte doit être dorée et croustillante.

Note : vous pouvez garnir et couvrir vos tourtes la veille et les faire attendre au réfrigérateur. Il suffira de les dorer au dernier moment et de les glisser au four en temps voulu. La pâte cuira et dorera en même temps que la garniture se réchauffera.

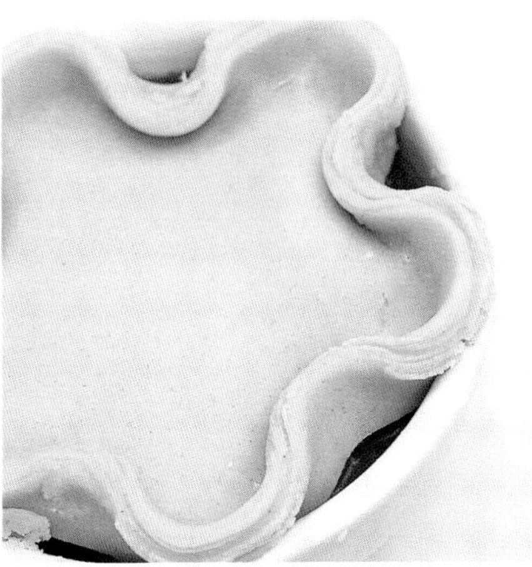

6 Volailles

Les jours de cafard,
de découragement général
et de stress, quand la vie vous
semble pesante, voici mon conseil :
faites rôtir un poulet. Je ne sais
pas précisément pourquoi, mais
ça marche, comme une formule
magique, une panacée.
Peut-être est-ce tout simplement
une façon de tourner le dos
aux sollicitations abusives
de l'environnement, de fermer
la porte et d'abandonner
les soucis en se concentrant sur
les douceurs de la vie domestique :
ce sont deux heures de bien-être,
je dirais même de thérapie.

Comment découper une volaille crue

1) Commencez par couper le croupion en deux dans le sens de la longueur, puis tenez le poulet verticalement.

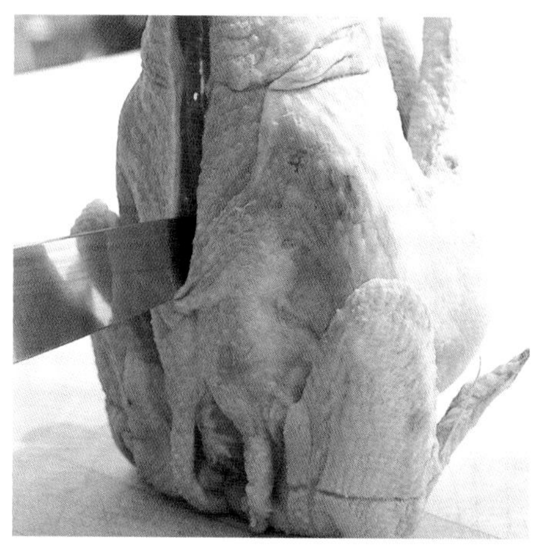

2) Insérez la lame dans l'incision du croupion et séparez le poulet en taillant verticalement à travers le dos.

3) Posez le poulet côté peau en dessous, ouvrez-le comme un livre et séparez les moitiés en taillant verticalement.

4) Retournez chaque moitié et séparez la cuisse du corps en incisant à la limite de la cage thoracique.

5) Si vous désirez découper la volaille en six, cherchez la fine ligne blanche qui marque l'emplacement de la jointure. Coupez selon cette ligne.

6) Pour couper la volaille en huit, coupez le filet en deux près de l'épaule.

Poulet cacciatora

Cette recette traditionnelle italienne est meilleure en automne, quand les tomates mûres sont abondantes sur le marché. Mais les tomates d'hiver ont fait des progrès depuis quelque temps, et ce poulet chasseur peut être préparé en toute saison. De toute façon, utilisez des tomates bien rouges et parfumées.

4 personnes

1 poulet fermier de 1,5 kg, découpé en huit morceaux
1 cuillerée à soupe d'huile d'olive
2 gros oignons pelés et coupés en tranches épaisses
800 g de tomates mûres et bien rouges
2 grosses gousses d'ail pelées et écrasées
1 cuillerée à soupe de concentré de tomate
1 cuillerée à soupe de feuilles de romarin frais, légèrement écrasées au mortier puis finement hachées
1 feuille de laurier
30 cl de vin blanc sec
1 cuillerée à soupe de vinaigre de vin blanc
sel, poivre du moulin

Il vous faudra également une cocotte en fonte de 3,5 l de contenance.

Salez et poivrez les morceaux de poulet et faites chauffer l'huile d'olive dans une cocotte. Lorsqu'elle est très chaude, faites-y saisir le poulet, quatre morceaux à la fois. Il doit être bien doré sur toutes les faces. Réservez les morceaux dorés sur une assiette pendant que vous vous occupez du reste. Lorsque tout le poulet est doré, réservez tous les morceaux sur l'assiette. Dans la cocotte, jetez les oignons et baissez le feu de vif à moyen. Faites cuire de 8 à 10 minutes en remuant jusqu'à ce qu'ils soient légèrement fondus et dorés sur les bords.

Mondez les tomates en les couvrant d'eau bouillante, puis en les laissant reposer 1 minute avant de les égoutter et de retirer la peau. Protégez vos mains d'un linge si elles sont trop chaudes. Concassez-les finement.

Lorsque les oignons sont dorés, ajoutez l'ail, faites cuire 1 minute, puis ajoutez les tomates, le concentré de tomate, le romarin, le laurier, le vin blanc et le vinaigre. Salez, poivrez, portez à ébullition, puis laissez bouillonner sur feu moyen, à découvert, pendant 20 minutes environ jusqu'à réduction de moitié. Ajoutez alors les morceaux de poulet, remuez un peu, couvrez et faites cuire 40 minutes sur feu doux, jusqu'à ce que le poulet soit tendre. Ce plat peut être accompagné de tagliatelle vertes, de nouilles, de riz ou d'un légume de votre choix.

Poulet vite rôti au citron et à l'estragon

Une fois que vous aurez appris cette manière de faire rôtir un poulet de petite taille, vous ne pourrez plus vous en passer. Vous pouvez varier les assaisonnements : romarin frais haché, sauge, thym, mélanges d'herbes ; vous pouvez également remplacer l'ail par de l'échalote finement hachée. C'est une bonne recette qui vous permet d'utiliser ce que vous avez sous la main.

4 personnes

1 poulet fermier de 1,5 kg
la moitié d'un petit citron taillée en fines tranches puis en demi-lunes, et le jus du demi-citron restant
2,5 cuillerées à soupe de feuilles d'estragon frais finement ciselées
2 gousses d'ail pelées et finement écrasées
10 g de beurre en pommade
1 cuillerée à dessert d'huile d'olive
30 cl de vin blanc sec
sel, poivre noir du moulin

Il vous faudra également un plat à rôtir en métal épais, allant au feu, de 23 x 28 cm et de 5 cm de profondeur. Préchauffez le four à 230 °C (th. 8-9).

Sortez le poulet du réfrigérateur 1 heure avant de le faire cuire. En été, évidemment, vous pouvez raccourcir ce temps de 30 minutes. Retirez la ficelle ou l'élastique qui bride le poulet : cela accélérera le retour à température ambiante ainsi que la cuisson à cœur.

Préparez un beurre d'ail à l'estragon : réunissez dans un bol le beurre, l'ail et 2 cuillerées à soupe d'estragon haché ; salez et poivrez, mélangez avec une fourchette et déposez ce beurre à l'intérieur du poulet. Ajoutez également les tranches de citron. Enduisez le fond du plat d'huile d'olive, puis frottez toute la surface du poulet avec l'huile restante. Salez et poivrez généreusement, puis glissez le plat sur une grille placée au tiers inférieur du four. Laissez cuire 45 minutes sans ouvrir la porte, puis retirez le plat du four, passez une cuillère en bois dans l'ouverture du poulet et, en le maintenant de l'autre côté avec une spatule, inclinez-le pour verser le jus de cuisson et les tranches de citron dans le plat. Transférez le poulet sur une planche à découper, couvrez-le d'une feuille d'aluminium et laissez reposer 20 minutes.

À l'aide d'une cuillère à soupe, dégraissez partiellement le jus de cuisson, puis posez le plat sur feu moyen. Ajoutez le vin et le jus de citron, laissez bouillonner et réduire de moitié. Ajoutez alors le reste de l'estragon, goûtez, rectifiez l'assaisonnement. Découpez le poulet et servez-le sur des assiettes chauffées ; versez dans la sauce tout jus de découpage. Nappez le poulet de la sauce et servez.

Paella

Je n'ai pas toujours su réussir ce classique espagnol : j'ai parfois commis l'erreur d'ajouter trop de safran pour mieux « jaunir » mon plat… jusqu'au jour où j'ai découvert qu'en Espagne même, on se servait volontiers de colorant. Voici donc ma paella revue et corrigée, facile, simple et parfaite pour régaler six personnes sans autre accompagnement.

6 personnes
350 g de riz Calasparra ou de riz rond espagnol pour paella
2 cuillerées à soupe d'huile d'olive
1 poulet de 1,5 kg, découpé en 8 (voir page 126)
1 gros oignon pelé et grossièrement haché
1 poivron rouge débarrassé de ses graines et coupé en gros morceaux
110 g de chorizo en un morceau, pelé et taillé en dés de 1 cm
2 gousses d'ail pelées et écrasées
1 cuillerée à soupe rase de paprika
1 pincée de cayenne
2 pincées de filaments de safran
225 g de tomates mûres et rouges, pelées à l'eau bouillante et grossièrement concassées
1,2 l d'eau bouillante
12 grosses gambas fraîches ou décongelées, non décortiquées (retirez les têtes de 4 d'entre elles)
50 g de petits pois frais ou congelés
1 citron coupé en quartiers pour la garniture
sel, poivre noir du moulin

Il vous faudra également une poêle à paella de 26 cm de diamètre à la base, de 33 cm de diamètre au bord, et d'une capacité de 4 litres — ou toute poêle correspondant à ces dimensions.

Une fois tous les ingrédients préparés — pelés, hachés, émincés, décortiqués… —, faites chauffer l'huile dans la poêle sur feu assez vif. Salez et poivrez les morceaux de poulet, faites-les dorer, quatre à la fois, dans l'huile chaude sur toutes leurs faces. Retirez-les au fur et à mesure pour les déposer sur une assiette pendant que vous faites dorer le reste du poulet. Réservez tout le poulet doré sur l'assiette, puis, dans la poêle, faites frire l'oignon, le poivron et le chorizo sur feu moyen pendant 6 à 8 minutes, jusqu'à ce qu'ils dorent. Ajoutez l'ail, le paprika, le cayenne et le safran ; faites cuire 1 minute, puis ajoutez le poulet réservé, les tomates, une quantité généreuse de sel et de poivre et, enfin, l'eau bouillante. Portez à petit frémissement, baissez le feu et faites cuire 10 minutes à découvert.

Au bout de ce temps, retirez le poulet et réservez-le de nouveau. Versez le riz au centre de la poêle. Portez de nouveau à ébullition, remuez et faites cuire doucement 10 minutes à découvert. Pendant cette cuisson, remuez le contenu de la poêle de temps en temps et secouez celle-ci ; déplacez-la sur le feu si la cuisson n'est pas uniforme. Ajoutez le poulet, les gambas et les petits pois et continuez la cuisson de 15 à 20 minutes, ou jusqu'à ce que le riz soit cuit. Ayez de l'eau bouillante à portée de main pour en ajouter un peu selon nécessité. Secouez la poêle afin d'égaliser la surface : le riz doit être immergé. À mi-cuisson, retournez les gambas. Le riz cuit moins vite à la circonférence du récipient : remuez afin d'unifier la cuisson. Lorsque celle-ci est à votre goût, éteignez le feu, couvrez toute la surface de la paella d'un torchon propre et laissez reposer 5 minutes pour absorber la vapeur. La paella est prête. Servez-la garnie de quartiers de citron et n'oubliez pas de préparer des assiettes chaudes.

Poulet sauté au coco et au citron vert

Ce poulet d'inspiration thaïe ravira tous ceux à qui vous le servirez. Ils auront du mal à croire à sa simplicité et à sa rapidité d'exécution, car la saveur en est somptueuse.

Émincez le poulet en morceaux de la taille d'une bouchée, et faites-le mariner dans un saladier avec le jus et le zeste de citron vert. Remuez bien, laissez reposer 1 heure.

Au moment de préparer votre plat, faites chauffer l'huile sur feu vif dans la poêle ou dans le wok, ajoutez le poulet et faites-le frire de 3 à 4 minutes en remuant bien, jusqu'à ce qu'il soit doré. Ajoutez le chili, remuez encore 1 minute ; ajoutez enfin le lait de coco, la sauce de poisson, la moitié de la coriandre et des oignons nouveaux émincés. Faites cuire encore de 1 à 2 minutes avant de servir garni du reste de coriandre et de julienne d'oignon nouveau, accompagné de riz parfumé thaï.

2 personnes

2 blancs de poulet fermiers sans la peau
le zeste râpé et le jus de 1 gros citron vert
15 cl de lait de coco en boîte
1 cuillerée à dessert d'huile d'olive
1 chili vert débarrassé de ses graines et finement haché
1 cuillerée à dessert de sauce de poisson thaïlandaise ou de nuoc-mâm
4 grosses cuillerées à soupe de feuilles de coriandre fraîche
4 oignons nouveaux ou 4 ciboules avec leur vert, coupés en tronçons de 2,5 cm puis taillés en fine julienne

Il vous faudra également une poêle de 26 cm de diamètre, ou un wok.

Canard rôti croustillant au confit de griottes

Voici la meilleure méthode pour faire rôtir le canard que je connaisse, et cette sauce, à base de griottes, est l'une des meilleures qui puissent accompagner ce volatile. Quelques points importants : le canard doit être bien sec pour être croustillant ; il faut donc l'acheter au moins 24 heures à l'avance, le sortir de son emballage et réserver les abattis à part, le sécher entièrement à l'aide d'un torchon et le laisser à nu dans votre réfrigérateur, posé sur une assiette, jusqu'au moment de le préparer. Les griottes séchées ou cerises séchées se trouvent dans les magasins de produits biologiques.

4 personnes
1 canard bien charnu de 1,8 kg
quelques branches de cresson frais pour la garniture
gros sel marin, poivre noir du moulin

Le confit de griottes
75 g de griottes séchées
20 cl de vin de Bordeaux
25 g de cassonade
1 cuillerée à soupe de bon vinaigre de vin rouge

Il vous faudra également une grille à rôtir arrondie ou une grande feuille d'aluminium épais, et un plat à rôtir de 23 x 28 cm et de 5 cm de profondeur.
Préchauffez le four à 230 °C (th. 8-9).

24 heures avant de commencer la recette, mettez le canard à sécher au réfrigérateur, et faites tremper les griottes dans le vin rouge.

Le lendemain, essuyez à nouveau le canard avec un linge. Prenez une petite brochette pour piqueter les parties grasses de la peau, notamment entre les cuisses et les filets. Posez la grille à rôtir dans le plat, ou façonnez une bonne quantité d'aluminium ménager en forme de berceau et déposez-y le canard. Salez au gros sel et poivrez au moulin. Ne lésinez pas sur le sel, qui favorise le côté croustillant. Glissez l'ensemble au four, en position médiane, et faites rôtir 1 h 50. Trois fois au cours de la cuisson, retirez le plat du four en vous aidant de gants ignifugés, retirez la graisse en inclinant le plat et remettez celui-ci au four (conservez la graisse dans un bocal et au réfrigérateur pour vous en servir en cuisine, par exemple dans des pommes sarladaises).

Pendant la cuisson du canard, préparez le confit de griottes. Versez le vin et les griottes trempées dans une casserole, ajoutez le sucre et le vinaigre de vin. Portez le mélange à petit frémissement, remuez bien et laissez cuire sur feu très doux, à découvert, de 50 minutes à 1 heure, en remuant de temps en temps. Le vin va réduire lentement jusqu'à ce qu'il ne reste plus que 3 cuillerées à soupe de liquide.

Lorsque le canard est cuit, laissez-le reposer 20 minutes hors du four, découpez-le et servez-le garni de cresson frais, arrosé de confit de griottes. Servez le reste du confit de griottes en saucière.

Cailles en feuilles de vigne à la pancetta et au confit de raisin

Longtemps, j'ai évité les cailles ; je les croyais trop petites, difficiles à préparer et à déguster. Et puis j'ai découvert qu'elles étaient charnues, savoureuses et fort pratiques : leur petite taille les rend faciles à cuire et à servir. Les feuilles de vigne se trouvent dans les alimentations proche-orientales et chez les traiteurs grecs ; elles communiquent aux cailles une saveur délicieuse, mais si vous n'en trouvez pas, utilisez de l'aluminium ménager.

4 personnes
8 cailles vidées et préparées
75 g de tranches de pancetta (fumée de préférence)
16 feuilles de vigne fraîches ou 1 bocal de feuilles de vigne en saumure (230 g en tout)
un peu d'huile d'olive
sel, poivre noir du moulin

Le confit de raisin
175 g de grains de raisin Italia, lavés, coupés en deux et épépinés à la pointe d'un couteau
1 cuillerée à café de cassonade
3 cuillerées à soupe de vin rouge
1 cuillerée à soupe de vinaigre de vin rouge

Il vous faudra également un grand plat à rôtir ou une plaque à rebord de 26 x 35 cm, et de la ficelle de cuisine. Préchauffez le four à 220 °C (th. 8).

Préparez d'abord le confit de raisin : diluez le sucre dans le vin, ajoutez le vinaigre, puis les raisins. Laissez mijoter et réduire doucement à découvert pendant 40 minutes, jusqu'à obtention d'une sauce sirupeuse.

Si vous utilisez des feuilles de vigne fraîches, faites-les blanchir quelques secondes dans l'eau bouillante pour les assouplir, puis séchez-les avec du papier absorbant et retirez les pétioles. Les feuilles en saumure doivent être soigneusement rincées, voire trempées quelques minutes dans l'eau froide, égouttées et séchées. Essuyez les cailles avec du papier absorbant, frottez-les d'huile d'olive, salez et poivrez.

Couvrez les filets des cailles des tranches de pancetta. Déposez chaque caille sur une feuille de vigne, les pattes pointant vers le pétiole de la feuille, rabattez sur la caille les deux lobes latéraux de la feuille ainsi que les autres lobes, enfin recouvrez d'une autre feuille et finissez d'envelopper la caille en rabattant les lobes sous l'oiseau. Ficelez chaque caille afin de maintenir les feuilles, déposez toutes les cailles dans le plat à rôtir et faites cuire 15 minutes au four en position élevée. Sortez le plat, coupez les ficelles, maintenez chaque caille avec un linge et retirez la feuille supérieure, laissant en place la première feuille et la pancetta. Remettez le plat au four pour faire dorer les cailles, 15 minutes environ. Une fois les cailles sorties du four, laissez-les reposer 10 minutes environ avant de les servir avec le confit de raisin.

Pintade rôtie aux trente gousses d'ail

Cette variation sur le thème du poulet aux quarante gousses d'ail est aussi fondante et délicieuse que l'original. L'ail, longuement mijoté en cocotte lutée, fond et enrichit la saveur de la sauce en abandonnant tout arôme agressif. Le lut conserve toute la vivacité des saveurs et permet d'obtenir un jus très onctueux. Il ne faut que cinq minutes pour le préparer et le mettre en place, mais vous pouvez également utiliser une feuille d'aluminium. Le procédé, plus rapide, ne sera pas si efficace.

4 personnes
1 pintade de 1,8 kg
30 gousses d'ail non pelées
10 g de beurre
1 cuillerée à dessert d'huile d'olive
6 petites branches de romarin frais
1 cuillerée à soupe rase de feuilles de romarin frais, légèrement écrasées au mortier et finement hachées
30 cl de vin blanc sec
sel, poivre noir du moulin

Le lut (ou pâte à luter)
225 g de farine, plus un peu pour le façonnage
15 cl d'eau froide

Il vous faudra également une cocotte ovale en terre ou en fonte, munie d'un couvercle et assez grande pour contenir la pintade (4,5 l de contenance). Préchauffez le four à 200 °C (th. 7).

Essuyez et séchez la pintade à l'aide de papier absorbant. Salez et poivrez la volaille. Faites fondre le beurre et l'huile dans la cocotte, et, sur feu assez vif, faites dorer la pintade avec précaution. Protégez vos mains d'un linge et soulevez la pintade par les pattes pour la faire pivoter d'un quart de tour afin qu'elle soit bien dorée sur toutes ses faces. L'opération prend une quinzaine de minutes en tout. Retirez la pintade de la cocotte, ajoutez les gousses d'ail et le romarin, remuez bien et replacez la pintade dans la cocotte. Saupoudrez toute la surface du romarin haché. Ajoutez le vin et portez à frémissement sur feu doux.

Versez la farine dans un grand bol et ajoutez l'eau. Mélangez pour obtenir une pâte molle mais non collante ; ajoutez de la farine au besoin. Divisez cette pâte en quatre pâtons et, sur un plan fariné, roulez chaque pâton en un boudin de 23 cm de longueur. Placez ces boudins sur le bord de la cocotte, bout à bout, sans vous soucier de leur esthétique. Posez délicatement le couvercle sur les boudins de pâte en vous assurant que la fermeture est bien hermétique. Vous pouvez également poser sur le bord de la cocotte une double épaisseur d'aluminium ménager avant de placer le couvercle. Mettez la cocotte au four et faites cuire 1 heure exactement, puis retirez le couvercle, remettez la cocotte au four et laissez dorer la pintade pendant 10 minutes. Retirez la pintade de la cocotte et laissez-la reposer 10 minutes avant de la découper.

Servez la pintade avec ses gousses d'ail et entourée de son jus. Le principe consiste à écraser les gousses d'ail afin de libérer leur pulpe onctueuse et d'y tremper les morceaux de pintade au fur et à mesure de la consommation. Le meilleur accompagnement auquel je puisse penser est une bonne purée bien crémeuse.

Brochettes de poulet citronnées à la gremolata

C'est le plat dont nous rêvons tous — facile à préparer, cuit en un clin d'œil et délicieux. Servez avec un riz ou une salade, ou avec les deux. Une baguette croustillante peut remplacer le riz. La gremolata est une préparation aromatique italienne qui agrémente les viandes grillées ; elle est plus connue en garniture finale de l'osso buco à la milanaise.

2 personnes

2 blancs de poulet fermier avec peau
le jus de 1 citron, plus 1 cuillerée à café de son zeste râpé
3 épaisses tranches de citron coupées en quatre
6 cl d'huile d'olive
1 gousse d'ail pelé et finement écrasée
1 cuillerée à dessert d'origan frais haché
1 cuillerée à café de vinaigre de vin blanc
2 feuilles de laurier déchirées en deux
sel, poivre noir du moulin

La gremolata

1 gousse d'ail pelée et finement hachée
1 cuillerée à soupe rase de zeste de citron finement râpé
1 cuillerée à soupe de persil plat finement haché

Il vous faudra également 2 brochettes en bois ou en bambou de 26 cm de longueur, trempées au moins 30 minutes dans l'eau froide.

Divisez chaque blanc de poulet en 5 morceaux. Veillez à ne pas retirer la peau. Réunissez dans un saladier le poulet, le jus et le zeste de citron, l'ail, l'huile, l'origan, le vinaigre de vin blanc et une bonne quantité de sel et de poivre du moulin. Couvrez, laissez mariner au réfrigérateur toute une nuit ou quelques heures, ou le temps que vous pouvez y consacrer.

Le moment venu, préchauffez le gril du four au moins 10 minutes à l'avance et commencez à garnir les brochettes. Enfilez d'abord une demi-feuille de laurier, un quartier de tranche de citron, un morceau de poulet, et continuez ainsi en alternant jusqu'à ce que chaque brochette comporte 5 dés de poulet. Finissez par un quartier de citron et une demi-feuille de laurier à l'extrémité de la brochette. Tout doit être aussi serré que possible. Posez les brochettes garnies sur une grille placée sur un plat ou une lèchefrite, et faites griller à 10 cm de la source de chaleur. Arrosez les brochettes plusieurs fois avec la marinade et le jus de cuisson ; 10 minutes de chaque côté suffisent à faire cuire les brochettes, qui seront tendres et bien grillées.

Pendant la cuisson, mélangez les ingrédients de la gremolata et gardez-les à portée de main. Lorsque les brochettes de poulet sont cuites, déposez-les sur un plat de service et gardez-les au chaud. Versez le reste de la marinade et le jus de cuisson dans une casserole, portez à ébullition et faites réduire à consistance sirupeuse (2 minutes environ). Versez ce jus sur les brochettes et saupoudrez celles-ci de gremolata juste avant de passer à table.

7

Pommes de terre

« La cuisine, écrivait Curnonsky, c'est quand les choses ont le goût de ce qu'elles sont. » Là réside la vérité profonde de l'art culinaire : révéler et mettre en valeur la vraie saveur d'un ingrédient. C'est là le seul vrai pari que doive tenir un aspirant cuisinier, et c'est avec la pomme de terre que ce pari prend toute sa dimension. En effet, telle est la question : comment faire en sorte qu'une pomme de terre ait vraiment le goût de pomme de terre ? Peut-être, en premier lieu, en la respectant, en la cuisinant pour elle-même, et non en la réduisant au rang de simple faire-valoir auprès des viandes. Elle mérite amplement une carrière en solo.

Pommes de terre au four en robe des champs

Qui, en ce monde, ne salive pas à la pensée d'une bonne pomme de terre au four cuite dans sa peau, croustillante à l'extérieur, fondante à l'intérieur, additionnée d'une noix de beurre ou d'une cuillerée de crème parsemée de ciboulette ? Je ne parle pas ici de la version insipide, de la pâle imitation sortant du micro-ondes, mais de la vraie pomme au four dans toute sa splendeur. La vie est trop courte pour ne pas se gâter, pour nous contenter d'approximations qui ne nous satisfont pas. Si vous avez envie de vous faire plaisir à peu de frais avec quelque chose de vraiment délicieux et réconfortant, oubliez les barres chocolatées et autres friandises artificielles : faites-vous cuire au four la plus grosse pomme de terre que vous puissiez trouver, et coupez-la en deux. La peau s'ouvre et craque de façon appétissante, révélant un intérieur tendre et fondant. Écrasez-le avec une fourchette et ajoutez-y un bon morceau de beurre ; regardez-le fondre et s'abîmer dans ces nuages de tendresse. Juste un peu de fleur de sel et de poivre grossièrement moulu, et vous pouvez déguster la pomme de terre dans toute sa modeste gloire.
Le secret d'une bonne pomme de terre au four, c'est le temps. Deux bonnes heures sont nécessaires pour obtenir cette peau sèche et croustillante. Vous pouvez les mettre au four au moment de sortir afin de les retrouver cuites à votre retour, ou vous occuper à autre chose pendant la cuisson. Ci-dessous, vous trouverez la recette de base, suivie de recettes dérivées.

2 personnes
2 grosses pommes de terre désirée ou charlotte de 250 g environ chacune
un peu d'huile d'olive
un peu de gros sel marin légèrement écrasé
un peu de beurre
fleur de sel, poivre noir du moulin

Préchauffez le four à 190 °C (th. 6-7).

Lavez et brossez les pommes de terre sous l'eau courante. Séchez-les soigneusement dans un linge, puis réservez-les à l'air libre pour qu'elles soient les plus sèches possible. Piquez la peau plusieurs fois avec une fourchette, puis, avec vos mains, enduisez toute la surface des pommes de terre de quelques gouttes d'huile d'olive. Frottez-les ensuite de gros sel marin écrasé, ce qui aidera à éliminer l'humidité à la cuisson et, associé à l'huile, donnera une consistance plus croustillante.

Déposez les pommes de terre dans le four, en position médiane, et laissez-les cuire de 1 h 45 à 2 heures, ou jusqu'à ce que leur peau soit parfaitement croustillante.

Au moment de servir, ouvrez les pommes de terre en deux dans le sens de la longueur et introduisez-y le beurre et l'assaisonnement. Servez immédiatement, car les pommes sorties du four perdent vite leur croquant. Ne les faites pas attendre.

15 cl de crème fraîche épaisse
10 g (environ) de ciboulette
sel, poivre noir du moulin

Garniture à la crème et à la ciboulette

Cette garniture pour pommes au four nous vient des États-Unis, où elle est préparée avec de la crème aigre (*sour cream*), introuvable en France. Celle-ci peut néanmoins être remplacée par de la crème fraîche, bien que la consistance soit différente. Ciselez la ciboulette dans un bol contenant la crème, salez, poivrez et laissez reposer 1 heure afin que la crème absorbe le parfum de la ciboulette.

Pommes de terre farcies aux poireaux, au cheddar et au Boursin

Ici, la pomme de terre rôtie est évidée, mélangée à du Boursin, replacée dans sa peau, garnie de poireaux et de cheddar, puis repassée au four.

2 personnes
2 grosses pommes de terre de 250 g environ chacune, rôties au four et bien chaudes (voir la recette de base, page 140)
1 blanc de poireau de 10 cm, lavé et nettoyé
40 g de cheddar affiné, grossièrement râpé
80 g de Boursin ail et fines herbes
1 cuillerée à soupe de crème fleurette
sel, poivre noir du moulin

Il vous faudra également une plaque de 26 x 30 cm.
Préchauffez le four à 180 °C (th. 6).

Taillez le blanc de poireau en deux dans le sens de la longueur, puis émincez chaque moitié en tranches de 5 mm. Dans un petit saladier, mettez le Boursin. Coupez les pommes de terre en deux dans le sens de la longueur. Saisissez chaque demi-pomme de terre dans un torchon et évidez-la dans le saladier, en laissant la peau intacte. Ajoutez la crème, salez et poivrez généreusement, puis écrasez le tout à la fourchette et farcissez-en les peaux de pomme de terre. Déposez les pommes de terre garnies sur la plaque, garnissez-les des poireaux émincés, puis du cheddar râpé, en appuyant légèrement pour les faire adhérer à la garniture. Glissez la plaque au four et faites cuire 20 minutes, ou jusqu'à ce que les poireaux et le fromage soient dorés et gratinés.

Façon Welsh Rarebit

2 personnes
2 grosses pommes de terre de 250 g environ chacune, rôties au four et bien chaudes (voir la recette de base)
75 g de cheddar affiné, râpé
1 cuillerée à café de condiment oignon, tomate et chili (voir page 148)
1 cuillerée à soupe d'oignon finement haché
1 gros œuf légèrement battu
1 cuillerée à soupe de ciboulette fraîchement ciselée

Préchauffez le gril pendant 10 minutes avant que les pommes de terre soient prêtes à gratiner.

Si cette garniture convient au pain grillé, pas de raison qu'elle ne convienne pas aux pommes de terre. Voici un excellent plat pour un déjeuner léger, servi avec une salade verte. Vous pouvez utiliser le condiment maison dont je donne la recette plus loin ou accompagner le tout d'un chutney de mangue.

Réunissez dans un saladier tous les ingrédients de la garniture. Lorsque les pommes de terre sont cuites, coupez-les en deux dans le sens de la longueur et pratiquez de profondes incisions en croisillons dans la chair, sur toute la surface mais sans entamer la peau. Répartissez la garniture entre les demi-pommes de terre, placez celles-ci sur un plat à rôtir ou sur une grille, et faites griller de 3 à 4 minutes à 5 cm de la source de chaleur. Le fromage doit être soufflé et doré.

La purée parfaite

J'ai adopté définitivement cette recette de purée comme la meilleure qui soit. Pourquoi en chercher une autre ?

4 personnes
1 kg de pommes de terre désirée, charlotte ou bintje
1 cuillerée à dessert de sel
50 g de beurre
4 cuillerées à soupe de lait entier
2 cuillerées à soupe de crème fraîche
sel, poivre noir du moulin

Pelez les pommes de terre, lavez-les et coupez-les en gros morceaux de taille égale. Si elles sont grosses, coupez-les en quatre, et si elles sont plus petites, coupez-les en deux. Déposez-les dans un panier à vapeur, dans une casserole, au-dessus d'une bonne quantité d'eau bouillante, saupoudrez-les de sel, couvrez et faites cuire sur feu moyen jusqu'à ce qu'elles soient absolument tendres (de 20 à 25 minutes). Une brochette enfoncée dans une pomme de terre ne doit rencontrer aucune résistance. Attention : si la cuisson est insuffisante la purée risque de contenir des grumeaux.

Lorsque les pommes de terre sont cuites, retirez-les du panier, égouttez-les, éliminez l'eau de la casserole et remplacez-la par les pommes de terre. Couvrez celles-ci d'un torchon pour absorber la vapeur pendant 4 minutes. Ajoutez ensuite le beurre, le lait et la crème fraîche. Battez ensuite les pommes de terre au fouet électrique, d'abord à basse vitesse pour ne pas produire de projections et briser les pommes de terre efficacement, puis augmentez la vitesse de façon à obtenir une masse légère, onctueuse et crémeuse. Goûtez, rectifiez l'assaisonnement selon besoin.

Note : vous pouvez préparer une purée moins calorique en remplaçant le beurre, le lait et la crème fraîche par 150 g de fromage de type Saint-Moret ou Carré Gervais, et 2 ou 3 cuillerées à soupe de lait demi-écrémé.

Pour une purée parfaite, deux principes : bien faire cuire les pommes de terre à la vapeur ; ensuite, fouetter vigoureusement avec beurre, lait et crème fraîche pour obtenir une masse homogène, légère et crémeuse.

Aligot

Pour réussir cette purée typique du sud-ouest du Massif central, il vous faut de la tomme blanche du Cantal ou de l'Aveyron. Vous la trouverez dans les magasins de produits régionaux, mais, à défaut, vous pouvez utiliser du cantal jeune. L'aligot accompagne les viandes et les saucisses grillées, mais il constitue un plat à lui tout seul.

2 personnes
500 g de pommes de terre désirée ou bintje
2 grosses gousses d'ail pelées et coupées en deux dans le sens de la longueur
25 g de beurre
240 g de tomme blanche de l'Aveyron ou du Cantal, râpé
sel, poivre noir du moulin

Réunissez l'ail et le beurre dans une petite casserole ; faites-les chauffer et infuser 30 minutes sur le feu le plus doux possible. Pendant ce temps, pelez les pommes de terre avec un économe, coupez-les en dés de taille égale, placez-les dans un panier à vapeur, versez de l'eau bouillante dans une casserole et déposez-y le panier. Saupoudrez les pommes de terre de 1 cuillerée à dessert de sel, couvrez et faites cuire de 20 à 25 minutes, jusqu'à ce que les pommes de terre soient parfaitement tendres. Débarrassez-les dans un saladier chauffé et couvrez d'un torchon propre pour absorber la vapeur.

À l'aide d'un fouet électrique réglé sur sa vitesse la plus lente, commencez à réduire les pommes de terre en purée ; ajoutez le beurre et l'ail, poivrez un peu et ajoutez une poignée de fromage râpé. Augmentez la vitesse et ajoutez le fromage petit à petit tout en fouettant. Cela peut vous sembler une grande quantité de fromage, mais les pommes de terre l'absorbent à mesure que vous les battez et le mélange devient bientôt ferme, filant et satiné. Lorsque tout le fromage est absorbé, servez immédiatement. L'aligot accompagne délicieusement le steak mariné de la page ci-contre, mais il est également parfait avec des saucisses grillées.

Note : pendant le fouettage, le mélange adhère aux pales du fouet ; ne vous inquiétez pas et continuez de fouetter, car au bout d'un moment il s'en détache. Si vous voulez garder l'aligot au chaud, placez le saladier dans un bain-marie chaud, mais ne l'y laissez pas trop longtemps.

Une fois le beurre, l'ail, le sel et le poivre incorporés, ajoutez une poignée de fromage.

Augmentez la vitesse du batteur et ajoutez le reste du fromage petit à petit.

Au bout d'un moment, le mélange devient ferme, filant et satiné.

Grillade de rumsteak mariné

Cette grillade est aussi délicieuse que simple. Si vous avez le sens de l'organisation, vous pouvez laisser mariner les steaks 24 heures au réfrigérateur, mais si vous manquez de temps, quelques heures suffiront. Cette recette a été spécialement créée pour accompagner l'aligot, mais sachez dans ce cas qu'il faut être deux en cuisine : un pour faire cuire les steaks et un pour fouetter la purée !

2 personnes
2 tranches de rumsteak de 200 à 225 g chacune
7,5 cl de vin rouge
7,5 cl de sauce Worcestershire
1 grosse gousse d'ail pelée et finement écrasée
1 cuillerée à café d'huile d'arachide ou de toute autre huile sans goût

Pour garnir
quelques branches de cresson frais

Il vous faudra également un plat creux ou un récipient en plastique à couvercle hermétique assez grand pour contenir les steaks.

Déposez les steaks dans un plat creux. Mélangez le vin rouge, la sauce Worcestershire et l'ail, et versez le tout sur la viande. Couvrez de film alimentaire. Faites mariner au réfrigérateur quelques heures ou toute une nuit. Sortez les steaks 1 heure avant de les préparer ; au moment de les faire cuire, épongez-les bien avec du papier absorbant. Réservez la marinade.

Posez sur feu vif une poêle en fonte épaisse et faites-y chauffer l'huile jusqu'à ce qu'elle commence à fumer. Saisissez les steaks 4 minutes de chaque côté. 2 minutes avant la fin de la cuisson, versez dans la poêle la marinade réservée et faites-la réduire de moitié. Retirez les steaks de la poêle quand ils sont cuits, déposez-les sur des assiettes chauffées, tranchez-les en diagonale et nappez-les de la sauce. Garnissez de cresson et servez immédiatement, accompagné de l'aligot.

Grillade de rumsteak mariné servie avec de l'aligot.

Purée aux trois moutardes

Voici l'accompagnement idéal des jambons braisés, des daubes et des sautés relevés, sans oublier, bien entendu, les saucisses grillées, selon la tradition britannique.

4 personnes
1 kg de pommes de terre bintje, charlotte ou désirée, pelées et cuites à la vapeur comme pour la recette de la purée parfaite, page 142
2 cuillerées à dessert de moutarde en grains
2 cuillerées à soupe de moutarde américaine (ou de condiment Savora)
1 cuillerée à soupe de moutarde anglaise en poudre ou de moutarde forte de Dijon
2 grosses cuillerées à soupe de crème fraîche
50 g de beurre
4 cuillerées à soupe de crème fleurette
sel, poivre noir du moulin

Pendant la cuisson des pommes de terre, mélangez dans un petit bol la crème fraîche avec les trois moutardes. Égouttez les pommes de terre, remettez-les dans la casserole, couvrez-les d'un torchon propre pour absorber la vapeur pendant 4 minutes, puis ajoutez le mélange crème-moutardes, le beurre et quelques tours de moulin à poivre. À l'aide d'un batteur électrique, brisez les pommes de terre à vitesse lente, puis augmentez la vitesse et réduisez le tout en purée légère et onctueuse, en ajoutant la crème fleurette. Goûtez et rectifiez l'assaisonnement avant de servir.

Purée verte au persil

Cette purée d'un vert vif est subtilement parfumée au persil, herbe dont l'affinité avec les pommes de terre est bien connue. Servez-la avec du poisson, mais elle est également bonne avec le porc grillé ou braisé.

4 personnes
1 kg de pommes de terre bintje, charlotte ou désirée, pelées et cuites à la vapeur comme pour la recette de la purée parfaite, page 142
50 g de persil frisé bien frais, lavé et essoré, avec ses tiges
15 cl de lait
sel, poivre noir du moulin

Pendant la cuisson des pommes de terre, mettez le persil dans une petite casserole, couvrez du lait, portez à petit frémissement et faites cuire sur le feu le plus doux possible pendant 5 minutes, ou jusqu'à ce que le persil soit tendre. Passez tout le contenu de la casserole au mixeur pendant 2 à 3 minutes jusqu'à ce que le persil soit entièrement mixé et que le lait ait pris sa couleur. Passez au chinois dans la casserole et gardez au chaud. Lorsque les pommes de terre sont tendres, égouttez-les, couvrez-les d'un torchon propre pour absorber la vapeur pendant 4 minutes. À l'aide d'un batteur électrique, brisez les pommes de terre à vitesse lente, puis augmentez la vitesse et ajoutez le lait au persil ainsi qu'une bonne quantité de sel et de poivre du moulin. Battez jusqu'à ce que la purée soit légère et onctueuse.

Purée aux câpres et au cresson

Encore une purée qui convient très bien aux plats de poisson ; je l'apprécie particulièrement avec le hareng ou le maquereau grillé, ainsi qu'avec n'importe quel poisson fumé.

4 personnes

1 kg de pommes de terre bintje, charlotte ou désirée, pelées et cuites à la vapeur comme pour la recette de la purée parfaite, page 142
150 g de feuilles de cresson frais, lavées et essorées
1 cuillerée à soupe rase de câpres en saumure ou au vinaigre, lavés et égouttés
50 g de beurre
2 cuillerées à soupe de lait
2 cuillerées à soupe de crème fraîche
2 cuillerées à soupe de jus de citron
sel, poivre noir du moulin

Lorsque les pommes de terre sont bien cuites, égouttez-les et couvrez-les d'un torchon. Laissez-les reposer 4 minutes, puis ajoutez le beurre, le lait et la crème fraîche. À l'aide d'un batteur électrique, brisez les pommes de terre à vitesse lente, puis augmentez la vitesse et ajoutez les feuilles de cresson. Continuez de battre jusqu'à ce que la purée soit légère et onctueuse, incorporez le jus de citron et les câpres. Salez et poivrez, mais si vous utilisez des câpres au sel, goûtez avant de saler.

De haut en bas et de gauche à droite : aligot, purée aux trois moutardes, purée aux câpres et au cresson et purée verte au persil.

Pommes lyonnaises au four

Tout le monde adore les pommes de terre sautées, mais si vous voulez en préparer pour quatre à six personnes, cela nécessite une surveillance constante et trois ou quatre poêles à frire. Sans parler des projections d'huile. Mais finis les problèmes ! Car vous pouvez les mettre au four et les oublier jusqu'à ce qu'elles soient rissolées. Je vous les conseille en accompagnement du gigot rôti à l'ail et au romarin de la page 148.

4 à 6 personnes
1 kg de pommes de terre charlotte ou désirée, pelées et (si elles sont grosses) coupées en deux
1 cuillerée à dessert de sel
3 cuillerées à soupe d'huile d'olive
1 oignon moyen, pelé, coupé en deux puis taillé en tranches de 5 mm
gros sel

Il vous faudra également un plat à rôtir allant au feu ou une plaque de 28 x 40 cm.
Préchauffez le four à 220 °C (th. 8).

Déposez les pommes de terre dans un panier à vapeur dans une casserole d'eau bouillante. Saupoudrez-les du sel, couvrez et faites cuire 10 minutes (utilisez un minuteur). Au bout de ce laps de temps, retirez le panier de la casserole, couvrez les pommes de terre d'un torchon propre et laissez-les reposer quelques minutes. Pendant ce laps de temps, versez 2 cuillerées à soupe d'huile dans le plat à rôtir et placez celui-ci au four, en position élevée, pour le préchauffer pendant 10 minutes. Lorsque les pommes de terre ont légèrement tiédi, coupez-les en rondelles de 7 mm environ.

Retirez le plat du four et posez-le sur feu moyen. Déposez-y les pommes de terre à l'aide d'une cuillère et retournez-les dans l'huile afin qu'elles en soient bien enduites. Glissez de nouveau la plaque au four en position élevée et faites cuire 10 minutes. Pendant ce temps, mélangez les tranches d'oignon dans un bol avec la dernière cuillerée d'huile. Le moment venu, retirez le plat du four et parsemez les pommes de terre des tranches d'oignon. Glissez de nouveau la plaque au four et faites cuire 10 minutes. Surveillez la cuisson, les oignons ne doivent pas trop roussir ; mais s'ils sont trop pâles, donnez-leur quelques minutes de plus. Quand tout est prêt, saupoudrez de gros sel et servez immédiatement.

Condiment oignon, tomate et chili

J'ai imaginé ce condiment pour les grosses frites au four de la page 153 ; une bonne sauce ne peut que les mettre en valeur.

4 personnes
1 petit oignon rouge pelé et haché
225 g de tomates rouges et mûres
la moitié d'un petit chili rouge, débarrassé de ses graines et finement haché
1 gousse d'ail pelée et finement écrasée
1 cuillerée à soupe de vergeoise de canne brune ou de sucre muscovado
12 cl de vinaigre balsamique
sel, poivre noir du moulin

Mondez les tomates : couvrez-les d'eau bouillante, laissez-les ainsi 1 minute, égouttez-les et pelez-les (protégez vos mains d'un torchon si elles sont trop chaudes). Dans le bol d'un mixeur, réunissez l'oignon, le chili, l'ail et les tomates. Réduisez en purée fine. Versez cette purée dans une casserole ; ajoutez le sucre et le vinaigre. Faites cuire 2 heures sur feu très doux, à découvert, jusqu'à ce que le mélange ait réduit à la consistance d'une sauce épaisse. Vers la fin de la cuisson, remuez souvent afin que le condiment n'attache pas. Goûtez, rectifiez l'assaisonnement, servez chaud ou froid. Ce condiment se conserve plusieurs jours au réfrigérateur dans un récipient hermétiquement fermé.

Pommes boulangères au romarin

Autrefois, on faisait cuire ce gratin de pommes de terre pendant des heures au four du boulanger. C'est un plat sans problème, on peut l'oublier au four jusqu'au moment de le servir. Contrairement aux autres plats à base de pommes de terre, celui-ci ne se formalise pas d'être tenu quelque temps au chaud.

Effeuillez le romarin et écrasez ses feuilles dans un mortier à l'aide d'un pilon. Ensuite, émincez les trois quarts des feuilles et réservez le reste. Coupez les oignons en deux, puis en tranches fines ; émincez les pommes de terre en tranches minces. Étalez une couche de pommes de terre dans le plat, puis une couche d'oignons. Saupoudrez de romarin haché, salez et poivrez. Recommencez l'opération en alternant couches de pommes de terre et d'oignons, romarin, sel et poivre, puis terminez par une couche de pommes de terre. Mélangez le lait et le bouillon de légumes, versez le tout sur le gratin. Salez et poivrez, puis garnissez du reste de romarin entier. Parsemez de noisettes de beurre et glissez le gratin au four, en position supérieure, et faites cuire de 50 à 60 minutes jusqu'à ce que la surface du gratin soit dorée et croustillante et que le dessous soit tendre et fondant.

6 personnes

1,25 kg de pommes de terre désirée, charlotte ou roseval, pelées et lavées
10 g de romarin frais
2 oignons moyens, pelés
30 cl de bouillon de légumes
15 cl de lait
40 g de beurre
fleur de sel, poivre noir du moulin

Il vous faudra également un plat à gratin de 20 x 28 cm, beurré.
Préchauffez le four à 180 °C (th. 6).

Gnocchi à la sauge, au beurre et au parmesan

Encore une fois, on peut admirer le savoir-faire des Italiens et leur ingéniosité : à partir des éléments les plus simples, ils obtiennent les plats les plus étonnants. Tels ces gnocchi à base de pomme de terre, de farine et d'œuf. Rien d'extraordinaire, mais leur consistance et leur arôme absorbent et complètent merveilleusement les autres saveurs. Ils supportent très bien la simplicité d'un classique beurre fondu, d'un peu d'ail frit et d'herbes aromatiques. Mais ils sont aussi délicieux avec une sauce aux quatre fromages. Consommez-les toujours le jour de leur préparation, car ils ont tendance à durcir si on les fait attendre.

2 ou 3 personnes
275 g de pommes de terre bintje (à peu près 2 pommes de terre moyennes)
95 g de farine tamisée plus un peu pour façonner la pâte
1 gros œuf légèrement battu
sel, poivre noir du moulin

La sauce
50 g de beurre
1 grosse gousse d'ail pelée et finement écrasée
8 feuilles de sauge fraîche

Pour servir
de 3 à 4 cuillerées à soupe de parmesan fraîchement râpé

Il vous faudra également un plat de service pouvant aller au four (par exemple un sabot en porcelaine) de 18 x 26 cm.

Placez les pommes de terre avec leur peau dans une grande casserole, couvrez-les juste d'eau bouillante, salez, couvrez et faites cuire de 20 à 25 minutes, jusqu'à ce qu'elles soient tendres. Égouttez soigneusement, puis, en maintenant chaque pomme de terre dans un torchon plié, pelez-la à l'aide d'un couteau. Réunissez les pommes de terre pelées dans un grand saladier et commencez à les briser avec un batteur électrique réglé à petite vitesse. Augmentez la vitesse et réduisez les pommes de terre en une purée légère et homogène. Laissez-les tiédir.

Ajoutez la farine tamisée et la moitié de l'œuf battu. Salez et poivrez légèrement, et travaillez le mélange à la fourchette afin de l'homogénéiser. Ramassez-le en boule, puis utilisez vos mains pour le pétrir en une pâte un peu molle — ajoutez un peu d'œuf pour l'assouplir si besoin est. Renversez la pâte sur un plan fariné, farinez vos mains et divisez la pâte en quatre pâtons. Roulez chacun en un boudin de 1 cm de diamètre environ, détaillez-le en morceaux de 2,5 cm en les réservant sur un plateau au fur et à mesure. Couvrez de film alimentaire et laissez reposer au moins 30 minutes au réfrigérateur.

Avec le dos d'une fourchette, imprimez un côté de chaque gnocchi afin d'y laisser la trace des dents, tout en le façonnant en forme de croissant. Les sillons servent à mieux absorber la sauce. Couvrez de film alimentaire et faites reposer les gnocchi au réfrigérateur jusqu'au moment de les faire cuire.

Portez à frémissement 3,5 l d'eau salée dans une grande casserole, pendant que vous faites chauffer le plat de service à four doux. Plongez les gnocchi dans l'eau frémissante, faites cuire environ 3 minutes. Ils remontent à la surface au bout de 2 minutes, mais ils ne sont pas encore tout à fait cuits à ce moment-là. Retirez-les avec une écumoire et transférez-le dans le plat de service chauffé. Juste avant de servir, faites fondre le beurre dans une petite casserole avec l'ail écrasé et faites cuire doucement 1 minute jusqu'à ce que l'ail soit doré. Ajoutez les feuilles de sauge et laissez-les frire jusqu'à ce qu'elles se flétrissent — environ 30 secondes ; versez le tout sur les gnocchi. Saupoudrez de la moitié du parmesan et servez le reste à part.

Gnocchi aux épinards et aux quatre fromages

J'aime servir cette recette en été, quand il fait chaud, mais c'est aussi un bon plat d'hiver pour deux personnes ou une entrée pour quatre. Une variante : réduisez de moitié la quantité de fromage et ajoutez 175 g de bacon anglais cuit croustillant, puis émietté.

2 ou 3 personnes

1 pomme de terre bintje de 175 g environ
225 g de jeunes épinards frais
175 g de ricotta
un peu de muscade râpée
25 g de farine, plus un peu pour le façonnage
1 gros œuf
50 g de mascarpone
1 cuillerée à soupe de ciboulette ciselée
50 g de gorgonzola crémeux (dolcelatte) taillé en gros dés
50 g de fontine taillée en petits dés
50 g de pecorino romano finement râpé
sel, poivre noir du moulin

Il vous faudra également un plat de service pouvant aller au four (par exemple un sabot en porcelaine) de 18 x 26 cm.

Faites d'abord cuire la pomme de terre avec sa peau 25 minutes à l'eau bouillante. Pendant ce temps, triez et équeutez les épinards, lavez-les et égouttez-les. Réunissez-les dans une grande casserole sur feu moyen, couvrez et faites « tomber » les épinards pendant 2 minutes environ. Égouttez-les dans une passoire, laissez-les tiédir, puis pressez-les à la main pour éliminer toute humidité et hachez-les finement au couteau.

Lorsque la pomme de terre est cuite, égouttez-la et pelez-la avec la pointe d'un couteau en la maintenant avec un torchon. Passez-la au tamis dans un saladier. Ajoutez les épinards, la ricotta, la muscade et la farine, battez l'œuf et ajoutez-en la moitié. Salez et poivrez. Mélangez le tout à la fourchette, puis pétrissez à la main pour obtenir une pâte un peu molle (ajoutez de l'œuf si nécessaire). Renversez la pâte sur un plan fariné, divisez-la en quatre pâtons. Roulez chaque pâton en un boudin de 1 cm de diamètre environ, détaillez-le en morceaux de 2,5 cm en les réservant sur un plateau au fur et à mesure. Couvrez de film alimentaire et faites reposer au moins 30 minutes au réfrigérateur.

Avec le dos d'une fourchette, imprimez un côté de chaque gnocchi afin d'y laisser la trace des dents, tout en le façonnant en forme de croissant. Les sillons servent à mieux absorber la sauce. Couvrez de film alimentaire et faites reposer les gnocchi au réfrigérateur jusqu'au moment de les faire cuire.

Ayez les fromages préparés à portée de main. Préchauffez le gril du four, portez à frémissement 3,5 l d'eau salée dans une grande casserole pendant que vous faites chauffer le plat de service à four doux. Plongez les gnocchi dans l'eau frémissante, faites cuire environ 3 minutes. Ils remontent à la surface au bout de 2 minutes, mais ils ne sont pas encore tout à fait cuits à ce moment-là. Retirez-les avec une écumoire et transférez-les dans le plat de service chauffé. Une fois qu'ils y sont tous, incorporez rapidement le mascarpone et la ciboulette, puis parsemez de gorgonzola et de fontine ; salez, poivrez et couvrez de pecorino râpé. Glissez le plat sous le gril pendant 3 à 4 minutes, jusqu'à ce que le fromage soit fondu et doré. Servez sans attendre un instant, sur des assiettes chauffées.

Note : les gnocchi nature de la page 150 peuvent eux aussi être servis avec quatre fromages, comme ci-dessus.

Grosses frites au four

Ces frites nécessitent très peu d'huile, juste une cuillerée à soupe pour six personnes. Vous voyez, rien d'alarmant.

De 4 à 6 personnes
1 kg de pommes de terre désirée ou charlotte
1 cuillerée à soupe d'huile d'olive
sel

Il vous faudra également une plaque de 28 x 40 cm.
Préchauffez le four à 230 °C (th. 8-9).

Si vous désirez préparer des grosses frites à l'ail et au romarin, ajoutez les ingrédients suivants :
2 gousses d'ail pelées et finement écrasées
2 cuillerées à soupe de feuilles de romarin frais, légèrement écrasées dans un mortier et finement hachées

Lavez les pommes de terre et brossez-les soigneusement sous l'eau courante. Séchez-les aussi complètement que possible avec un torchon propre. Sans les peler, coupez-les en deux dans le sens de la longueur, puis, toujours dans le sens de la longueur, en frites de 2,5 cm d'épaisseur environ. Séchez-les de nouveau avec le torchon, mettez-les dans un grand saladier, ajoutez l'huile et saupoudrez de sel. Remuez bien les pommes de terre pour les enduire d'huile, puis étalez-les sur la plaque et glissez celle-ci en position élevée pour faire cuire 30 minutes. Au bout de ce laps de temps, elles doivent être bien dorées et croustillantes ; dans le cas contraire, comptez quelques minutes de plus. Saupoudrez d'un peu de sel, et servez sans attendre une seconde.

Grosses frites au four servies avec le condiment à l'oignon, tomate et chili (page 148).

Pommes au four rissolées au safran

Voici ma recette de pommes rissolées favorite, avec un détail qui change tout : juste un soupçon de safran qui donne arôme et couleur à cet accompagnement irrésistible.

4 personnes
1 kg de pommes de terre bintje, désirée ou charlotte, pelées et coupées en morceaux de 4 cm environ
1 cuillerée à café de filaments de safran
1 cuillerée à soupe d'huile d'olive
sel

Il vous faudra également une plaque à four épaisse de 28 x 40 cm. Préchauffez le four à 220 °C (th. 8) et préchauffez-y la plaque enduite de 2 cuillerées à soupe d'huile d'olive.

Dans un mortier, à l'aide d'un pilon, écrasez le safran en une poudre fine. Couvrez juste les pommes de terre d'eau bouillante dans une casserole, ajoutez 1 cuillerée à dessert de sel et la moitié du safran pulvérisé. Couvrez, faites cuire doucement 6 minutes en utilisant un minuteur : il est important, à ce stade, de ne pas trop faire cuire les pommes de terre.

Ce temps écoulé, vérifiez avec une brochette si les pommes de terre sont cuites en surface : si cette surface est dure, donnez encore 2 ou 3 minutes de cuisson. Éliminez l'eau, couvrez de nouveau et, en maintenant solidement le couvercle et en protégeant vos mains d'un torchon, secouez vigoureusement la casserole afin de faire « mousser » la surface des pommes de terre, ce qui leur permettra d'être bien croustillantes une fois passées au four.

Mélangez l'huile et le reste du safran dans un bol, puis retirez la plaque du four et posez-la sur feu moyen. À l'aide d'une cuillère à long manche, soulevez les pommes de terre et déposez-les délicatement dans l'huile chaude. Inclinez la plaque et arrosez les pommes de terre d'huile avec la cuillère. Prenez un pinceau et badigeonnez les pommes de terre d'huile safranée. Glissez la plaque au four en position élevée et faites cuire de 40 à 50 minutes, jusqu'à ce que les pommes de terre soient dorées et croustillantes. Salez et servez avec un plat de viande ou de poisson, ou avec du poulet mariné et grillé.

Note : si vous omettez le safran, vous aurez des pommes rissolées au four très classiques et tout à fait délicieuses. N'oubliez pas de les servir immédiatement, avant qu'elles perdent de leur croustillant.

8

Riz

Si vous voulez toujours réussir votre riz, obtenir à chaque fois des grains tendres et légers, bien séparés, je peux vous aider. Mais vous devez d'abord me promettre la chose suivante : apprenez cette leçon, qui tient en trois mots : laissez-le tranquille. Si vous en êtes capable, vos recettes de riz long grain seront toujours irréprochables et ne vous causeront plus le moindre souci.

Salade de riz rouge de Camargue à la feta

Une délicieuse salade d'été, particulièrement rafraîchissante et idéale pour être dégustée en plein air.

4 personnes
30 cl de riz rouge de Camargue
200 g de feta
1 cuillerée à café de sel
60 cl d'eau bouillante
2 échalotes pelées et finement hachées
50 g de feuilles de roquette fraîche, finement émincées
3 oignons nouveaux avec leur vert, parés et finement émincés
sel, poivre noir du moulin

La vinaigrette
1 petite gousse d'ail pelée et écrasée
1/2 cuillerée à café rase de sel
1 cuillerée à café rase de moutarde en grains
1 cuillerée à soupe de vinaigre balsamique
2 cuillerées à soupe d'huile d'olive extra-vierge
sel, poivre noir du moulin

Il vous faudra également une poêle de 26 cm de diamètre munie d'un couvercle.

Versez le riz cru dans la poêle, ajoutez le sel, ajoutez l'eau bouillante et portez à frémissement. Couvrez et faites cuire 40 minutes sur feu très doux. Ce temps écoulé, éteignez le feu et laissez le tout reposer 15 minutes.

Pendant ce repos, préparez la vinaigrette en écrasant l'ail et le sel dans un mortier. Lorsque vous obtenez une purée fine, ajoutez la moutarde et travaillez le tout au pilon ; ajoutez de même le vinaigre et quelques tours de moulin à poivre. Ajoutez l'huile et fouettez avec un petit fouet à main pour bien mélanger le tout.

Débarrassez le riz chaud dans un plat, arrosez de la vinaigrette et mélangez bien. Goûtez, rectifiez l'assaisonnement et laissez refroidir complètement. Ajoutez alors les échalotes, la roquette et les oignons nouveaux émincés. Juste avant de servir, émiettez la feta sur la salade.

Risotto carbonara au four

J'aime tant les pâtes alla carbonara *que j'ai eu l'idée, un jour, d'adapter la recette à un risotto. J'ai utilisé les mêmes ingrédients. Le résultat est savoureux et éveille l'enthousiasme de tous ceux qui le goûtent.*

2 personnes
25 cl de riz carnaroli
125 g de pancetta taillée en petits dés ou de petits lardons
25 g de beurre
1 oignon moyen, pelé et finement haché
75 cl de bouillon de volaille ou de légumes
75 g de pecorino romano finement râpé, plus un peu pour saupoudrer
1 gros œuf
2 gros jaunes d'œufs
1 grosse cuillerée à soupe de crème fraîche
sel, poivre noir du moulin

Il vous faudra également une terrine ronde allant au four ou un moule à soufflé de 23 cm de diamètre, de 5 cm de profondeur, mis à préchauffer au four.
Préchauffez le four à 150 °C (th. 4-5).

Dans une poêle chaude, faites frire la pancetta dans sa propre graisse, pendant 4 à 5 minutes, jusqu'à ce qu'elle soit dorée et croustillante. Débarrassez-la sur une assiette. Faites chauffer le beurre dans la poêle, ajoutez l'oignon et faites-le fondre sur feu doux pendant 5 minutes environ. Pendant ce temps, faites chauffer le bouillon dans une petite casserole. Remettez la pancetta dans la poêle et, ensuite, ajoutez le riz et remuez-le avec une spatule jusqu'à ce que chaque grain soit bien imprégné de beurre. Ajoutez ensuite le bouillon bien chaud, un peu de sel et quelques tours de moulin à poivre. Portez à frémissement, puis versez le tout dans la terrine chauffée, remuez une fois et mettez au four, à découvert, en position médiane. Réglez le minuteur sur 20 minutes.

Ce temps écoulé, incorporez délicatement le pecorino en tournant et en soulevant le riz. Réglez le minuteur sur 15 minutes et remettez la terrine au four. Pendant ce temps, fouettez l'œuf entier, les jaunes d'œufs et la crème fraîche, sortez le risotto du four et incorporez doucement le mélange œufs-crème. Laissez reposer 2 minutes, le temps que la chaleur résiduelle fasse épaissir la liaison, mais pas plus longtemps : le mélange doit rester onctueux. Servez sur assiettes chauffées, accompagné du reste de pecorino.

Note : cette recette contient des œufs crus.

Le riz parfait

4 personnes
28 cl de riz basmati blanc (mesuré dans un verre gradué)
2 cuillerées à dessert d'huile d'arachide ou de toute autre huile sans goût
1 petit oignon, pelé et finement haché
60 cl d'eau bouillante
1 grosse cuillerée à café de sel

Il vous faudra également une poêle de 26 cm de diamètre munie d'un couvercle bien hermétique.

Faites chauffer la poêle sur feu moyen, ajoutez l'huile et les oignons. Faites suer de 3 à 4 minutes jusqu'à légère coloration. Ajoutez ensuite le riz (sans le laver, c'est inutile) et remuez-le dans la poêle jusqu'à ce qu'il soit bien imprégné d'huile. Versez l'eau bouillante, ajoutez le sel, remuez une fois (pas plus), couvrez la poêle et baissez le feu au minimum. Faites cuire le riz sur feu très doux pendant exactement 15 minutes. Ne découvrez pas la poêle et ne remuez pas le riz durant la cuisson, car cette opération brise les grains et rend le riz collant.

Au bout de 15 minutes, inclinez la poêle pour vous assurer que tout le liquide est absorbé ; si tel n'est pas le cas, laissez sur le feu 1 minute de plus. Retirez la poêle du feu, retirez le couvercle et couvrez le riz d'un torchon propre pour absorber la vapeur. Laissez reposer de 5 à 10 minutes, puis versez le riz dans un plat de service chauffé en l'aérant avec une fourchette avant de servir.

Riz complet gratiné aux légumes

Cette recette a été conçue pour des végétariens, mais je peux vous affirmer qu'elle a beaucoup de succès auprès des carnivores les plus irréductibles, après les hésitations d'usage.

4 personnes

Pour le riz
30 cl de riz basmati complet
1 cuillerée à soupe d'huile d'olive
2 oignons moyens, pelés et finement hachés
60 cl de bouillon de légumes bouillant
1 grosse cuillerée à café de sel

Pour les légumes
275 g de courge sucrine pelée
150 g de chacun des légumes suivants (poids épluché) : céleri-rave, rutabaga, carottes et panais
2 oignons rouges moyens, pelés
1 grosse cuillerée à soupe de fines herbes mélangées : persil, thym, estragon (par exemple)
1 grosse gousse d'ail pelée et écrasée
2 cuillerées à soupe d'huile d'olive
sel, poivre noir du moulin

Pour la sauce au fromage
50 g de cheddar affiné, râpé
25 g de parmesan finement râpé
60 cl de lait
40 g de farine
40 g de beurre
1 pincée de cayenne
muscade râpée
sel, poivre noir du moulin

Il vous faudra également une plaque de 30 x 40 cm, un plat à gratin de 15 x 20 cm et une poêle de 26 cm de diamètre.
Préchauffez le four à 230 °C (th. 8-9).

Taillez la courge, le céleri-rave, le rutabaga, les carottes et le panais en dés de 2,5 cm. Coupez les oignons rouges en six parts verticales. Réunissez le tout dans un grand saladier, ajoutez les herbes, l'ail, sel, poivre du moulin et l'huile d'olive. Remuez bien afin de les enduire de l'assaisonnement. Répartissez-les sur la plaque en une couche régulière, glissez la plaque au four en position élevée, et faites rôtir 30 minutes ou jusqu'à ce qu'ils aient pris couleur. Dès qu'ils sont cuits, sortez la plaque du four et baissez la température de celui-ci à 200 °C (th. 7).

Occupez-vous du riz : faites chauffer la poêle sur feu moyen, ajoutez l'huile, puis les oignons ; faites-les cuire de 3 à 4 minutes jusqu'à légère coloration. Ajoutez le riz (pas besoin de le laver) et remuez les grains dans la poêle jusqu'à ce qu'ils soient bien imprégnés d'huile. Ajoutez le bouillon frémissant et le sel. Remuez une fois (pas plus), couvrez, baissez le feu au minimum et faites cuire de 40 à 45 minutes. Ne découvrez pas la poêle, et ne remuez pas le riz durant la cuisson, car cette opération brise les grains et les rend collants.

Préparez, pendant cette cuisson, la sauce au fromage en réunissant le lait, la farine, le beurre et la pincée de cayenne dans une casserole moyenne. Fouettez le tout sur feu doux jusqu'à obtention d'une sauce onctueuse et satinée. Faites-la cuire 5 minutes sur feu très doux, puis ajoutez la moitié des fromages. Remuez encore pour faire fondre le fromage, puis goûtez, salez et poivrez. Ajoutez une pincée de muscade fraîchement râpée.

Lorsque le riz et les légumes sont cuits, disposez le riz dans le plat à gratin, les légumes par-dessus, et couvrez de la sauce en une couche le plus régulière possible. Enfin, parsemez du reste de fromages et saupoudrez d'une dernière pincée de cayenne. Remettez le plat au four et faites gratiner 20 minutes, ou jusqu'à ce que la sauce bouillonne et prenne couleur.

Note : vous pouvez préparer une variante de ce plat (voir photo ci-contre) en remplaçant les légumes par des brocolis et des choux-fleurs étuvés 5 minutes à la vapeur et les fromages par 110 g de roquefort incorporé à la sauce. Saupoudrez de 25 g de parmesan mélangé à 10 g de chapelure fraîche avant de faire gratiner.

En haut : riz complet gratiné aux légumes, et en bas : riz complet gratiné aux choux-fleurs et aux brocolis, sauce au roquefort.

Riz à la cantonaise

Le secret du riz cantonais consiste à utiliser du riz cuit mais bien refroidi. J'ai pris ici des ingrédients chinois mais, à défaut, vous pouvez utiliser des crevettes fraîches et des shiitake (lentins de chêne) frais, car ce sont aussi des champignons parfumés.

4 personnes

25 cl de riz basmati blanc, cuit selon la méthode du riz parfait (page 159, mais en utilisant 45 cl d'eau) puis refroidi
25 g de crevettes chinoises séchées
5 g de champignons parfumés chinois séchés
45 cl d'eau bouillante
2 cuillerées à dessert d'huile d'arachide ou de toute autre huile sans goût
1 petit oignon, pelé et finement haché
4 tranches fines de poitrine salée, taillées en fins lardons de 5 mm
50 g de petits pois frais si possible, surgelés à défaut
2 gros œufs légèrement battus
2 oignons nouveaux lavés et parés, fendus en deux et finement hachés
1 cuillerée à soupe de sauce de soja japonaise

Il vous faudra également un wok ou une poêle de 26 cm de diamètre à la base.

Réunissez les crevettes et les champignons dans un bol. Couvrez-les de l'eau bouillante et laissez tremper 30 minutes. Pressez-les dans vos mains, éliminez les pieds des champignons et émincez finement les chapeaux. Faites chauffer la moitié de l'huile dans le wok ou dans la poêle. Quand elle est bien chaude, faites-y frire les oignons et le lard sur feu vif 3 minutes en remuant, jusqu'à ce que le lard soit croustillant. Ajoutez les crevettes, les petits pois et les champignons ; faites frire en remuant pendant 1 minute. Ajoutez le reste de l'huile, attendez qu'elle soit bien chaude et ajoutez le riz. Remuez-le 30 secondes. Étalez le mélange dans le récipient de cuisson et ajoutez les œufs battus. Continuez de remuez sur feu vif, les œufs cuiront en filaments qui s'intégreront bien aux autres ingrédients. Ajoutez en dernier lieu les oignons nouveaux et la sauce de soja ; remuez encore et servez.

En bas, à droite : riz à la cantonaise.

Jambalaya aux gambas

Ce plat de riz aux nombreux ingrédients est délicieux et pourtant très facile à réaliser. Il tire ses origines de la cuisine traditionnelle cajun du sud des États-Unis. On peut l'adapter à tout ce que vous avez sous la main : poulet, poisson et même porc.

2 ou 3 personnes

8 grosses gambas crues, non décortiquées, fraîches ou décongelées ou 8 langoustines crues non décortiquées
110 g de chorizo pelé et coupé en tranches de 2 cm
1 ou 2 cuillerées à soupe d'huile d'olive
1 oignon moyen pelé et coupé en tranches de 1 cm
2 gousses d'ail pelées et finement écrasées
2 branches de céleri parées et coupées en biais, en tranches de 1 cm
1 chili vert, débarrassé de ses graines et finement haché
1 poivron jaune, débarrassé de ses graines et taillé en lanières de 1 cm
20 cl de riz basmati blanc
1 cuillerée à café de Tabasco
3 tomates moyennes, trempées 1 minute dans l'eau bouillante, puis pelées et concassées
1 feuille de laurier
1 cuillerée à soupe de persil plat grossièrement haché pour la garniture
2 oignons nouveaux parés et taillés en tranches fines pour la garniture
sel, poivre noir du moulin

Il vous faudra aussi une poêle de 26 cm de diamètre munie d'un couvercle.

Portez à ébullition 60 cl d'eau dans une casserole. Si vous utilisez des crevettes ou des langoustines crues, plongez-les 3 minutes dans l'eau bouillante. Retirez-les avec une écumoire, et réservez l'eau de cuisson. Si vous utilisez des crevettes déjà cuites, ne les faites pas blanchir. Réservez 2 crevettes et décortiquez les autres, mais laissez les queues intactes. Retirez la veine noire sur le dos de chaque crevette à l'aide d'un couteau pointu. Réunissez les carapaces dans la casserole d'eau réservée et faites cuire 30 minutes sur feu doux, à découvert, afin d'obtenir un bouillon bien parfumé. Filtrez ce bouillon, éliminez les carapaces, versez le bouillon dans un pichet et couvrez-le d'une assiette pour garder au chaud.

Posez la poêle sur feu vif et faites-y dorer les tranches de chorizo à sec. Retirez-les et réservez-les sur une assiette. Ajoutez 1 cuillerée à soupe d'huile dans la poêle, faites-la chauffer et faites-y revenir les oignons pendant 2 à 3 minutes jusqu'à légère coloration, puis ajoutez le chorizo réservé ainsi que l'ail, le céleri, le chili et le poivron en lanières. Faites frire encore 4 ou 5 minutes, jusqu'à ce que le céleri et le poivron soient assouplis et légèrement colorés. Ajoutez un peu d'huile si nécessaire. Ajoutez le riz et remuez-le afin que chaque grain soit bien imprégné d'huile. Mesurez 35 cl de bouillon réservé, ajoutez le Tabasco. Ajoutez au contenu de la poêle les tomates concassées et le laurier, puis le bouillon. Salez, poivrez, remuez encore une fois et immergez bien le riz en le pressant avec la spatule. Baissez le feu au plus doux, couvrez et laissez cuire 20 minutes à tout petit frémissement. Vérifiez la cuisson du riz, ajoutez les crevettes décortiquées et non décortiquées, en mouillant avec un peu de bouillon si nécessaire. Couvrez et laissez reposer encore 5 minutes, puis servez, garni de persil haché et d'oignons nouveaux émincés.

Pilau aux noix de cajou, aux pignons et aux pistaches

J'ai toujours aimé les parfums pénétrants d'un bon pilau indien aux épices. C'est l'accompagnement parfait pour les curries ou les grillades marinées telles que les brochettes de poulet de la page ci-contre.

4 personnes
280 g de riz basmati blanc
25 g de noix de cajou non salées
25 g de pistaches décortiquées, non salées
25 g de pignons
2 gousses de cardamome verte
3/4 de cuillerée à café de graines de cumin
1/2 cuillerée à café de graines de coriandre
2 cuillerées à dessert d'huile d'arachide ou de toute autre huile sans goût
1 petit oignon, pelé et finement haché
60 cl d'eau
1 bâtonnet de cannelle de 2,5 cm
1 feuille de laurier
1 grosse cuillerée à café de sel

Il vous faudra également une poêle de 26 cm de diamètre munie d'un couvercle.

Dans un mortier, à l'aide d'un pilon, écrasez les gousses de cardamome, le cumin et la coriandre. Chauffez la poêle sur feu moyen, à sec, et ajoutez-y les épices écrasées (sans retirer les gousses de la cardamome). Augmentez la chaleur et, sur feu vif, faites rôtir les épices en les remuant avec une spatule afin d'exalter leur arôme (1 minute environ). Baissez le feu. Ajoutez l'huile, l'oignon, les noix de cajou, les pistaches et les pignons, et, sur feu moyen, faites-les légèrement dorer. Ajoutez le riz et remuez-le bien jusqu'à ce que chaque grain soit bien imprégné d'huile. Ajoutez alors l'eau bouillante, puis la cannelle, le laurier et une bonne quantité de sel. Remuez une fois seulement, couvrez, baissez le feu au plus doux possible et faites cuire exactement 15 minutes. Retirez du feu, soulevez le couvercle et couvrez le riz d'un torchon propre pour absorber la vapeur pendant 5 minutes. Versez le riz dans un plat chauffé en l'aérant avec une fourchette avant de servir.

Brochettes de poulet mariné aux épices entières et Pilau aux noix de cajou, aux pignons et aux pistaches

Brochettes de poulet mariné aux épices entières

Le mariage des parfums, dans cette recette, est sublime. Ces brochettes ont également l'avantage d'être très peu grasses. Le chutney de coriandre dont je donne ici la recette est un accompagnement idéal, mais si vous ne pouvez pas le préparer, vous pouvez servir avec un chutney de mangue.

4 personnes
4 blancs de poulet avec leur peau de 175 g chacun
4 feuilles de laurier coupées en deux
la moitié d'un oignon rouge pelé, coupé en deux dans le sens de la longueur
8 chilis verts frais, coupés en deux et débarrassés de leurs graines
un peu d'huile d'olive
sel, poivre noir du moulin

La marinade
1 cuillerée à café de graines de cumin
1,5 cuillerée à café de graines de coriandre
12 gousses de cardamome verte
1 grosse cuillerée à soupe de gingembre frais pelé et râpé
1 grosse cuillerée à café de curcuma
3 gousses d'ail pelées et écrasées
1/2 cuillerée à café de fleur de sel ou de gros sel marin
1 cuillerée à soupe d'huile d'arachide ou de toute autre huile sans goût
30 cl de yaourt nature au lait entier

Le chutney de coriandre
25 g de feuilles de coriandre fraîches
2 cuillerées à soupe de jus de citron vert
1 chili vert frais, coupé en deux et débarrassé de ses graines
1 gousse d'ail pelée
1 cuillerée à soupe de yaourt nature
1/2 cuillerée à café de cassonade
sel, poivre noir du moulin

La garniture
2 citrons verts coupés en quartiers

Il vous faudra également 4 brochettes en bambou ou en bois de 26 cm de longueur.

Dans une petite poêle, à sec, faites rôtir le cumin, la coriandre et les gousses de cardamome sur feu moyen pendant 1 minute, jusqu'à ce que les graines commencent à sauter. Retirez du feu et laissez tiédir. Retirez les graines des gousses de cardamome, éliminez les gousses, et écrasez les graines avec le cumin et la coriandre dans un mortier. Ajoutez le gingembre, le curcuma, l'ail et le sel. Mélangez bien.

Découpez chaque blanc de poulet en cinq morceaux égaux, mettez-les dans un saladier et enduisez-les d'abord d'huile. Enduisez-les ensuite, avec vos mains, du mélange d'épices. Ajoutez ensuite le yaourt, mélangez bien, pressez bien le poulet afin qu'il macère parfaitement. Couvrez de film alimentaire et réservez quelques heures au réfrigérateur, ou, mieux, toute une nuit.

Pour obtenir le chutney, il suffit de passer tous les ingrédients au mixeur, de verser la crème obtenue dans un bol et de réserver celle-ci au réfrigérateur afin de laisser les saveurs se développer.

Peu avant le moment de servir, faites tremper les brochettes dans de l'eau froide pendant 20 minutes (cela leur évitera de brûler), et préchauffez le gril du four ou un barbecue. Enfilez ensuite une demi-feuille de laurier sur chaque brochette, puis un morceau de poulet, puis un morceau d'oignon, puis un demi-chili. Continuez d'alterner ainsi jusqu'à ce que chaque brochette porte cinq morceaux de poulet. Serrez bien les ingrédients sur les brochettes et terminez par une demi-feuille de laurier. Salez, poivrez, placez les brochettes sous le gril ou sur le barbecue et arrosez d'un peu d'huile d'olive. Si vous utilisez le gril du four, placez sous les brochettes un plat garni d'une feuille d'aluminium. Faites griller les brochettes 10 minutes de chaque côté, à 10 cm de la source de chaleur.

Retirez les brochettes en bois à l'aide d'une fourchette et servez les morceaux de poulet ainsi que les légumes sur un lit de pilau aux noix de cajou, aux pistaches et aux pignons. Garnissez de quartiers de citron vert et servez le chutney à part.

Poulet thaï à la crème de coco

Ce plat vous ravira par sa facilité, car il est préparé avec du poulet déjà cuit. Vous pouvez, bien sûr, le faire cuire vous-même, mais ce poulet à la crème de coco, si vite réalisé, est un excellent plat de fête pour quatre convives, encore meilleur servi avec le riz vert de la recette suivante.

4 personnes
1 poulet cuit de 1 kg, désossé, ou 5 blancs de poulet cuits
40 cl de lait de coco
1 cuillerée à café de graines de coriandre
1/2 cuillerée à café de graines de cumin
2 gousses de cardamome verte légèrement écrasées
2 cuillerées à soupe d'huile d'arachide ou de toute autre huile sans goût
2 oignons moyens, pelés et taillés en tranches fines
2 gousses d'ail, pelées et finement écrasées
10 g de coriandre fraîche
1 cuillerée à café de curcuma
4 chilis rouges frais, débarrassés de leurs graines et finement hachés
1 cuillerée à dessert de citronnelle fraîche, finement hachée
2 cuillerées à café de jus de citron vert
sel, poivre noir du moulin

Retirez la peau du poulet et détaillez la chair en lanières de 6 cm de longueur. Faites chauffer une poêle (ou un wok) à sec sur feu vif et, quand elle est très chaude, faites-y rôtir la coriandre, le cumin et la cardamome. Laissez les épices prendre un peu de couleur et dégager leur parfum (environ 45 secondes) en secouant la poêle de temps en temps, puis versez-les dans un mortier, retirez les gousses de la cardamome et gardez les graines. Pilez le tout finement à l'aide d'un pilon.

Versez l'huile dans la poêle. Quand elle est très chaude, faites-y frire l'ail et les oignons pendant 8 à 9 minutes sur feu moyen, jusqu'à ce qu'ils soient légèrement fondus. Pendant ce temps, effeuillez la coriandre, réservez les feuilles et hachez finement les tiges.

Quand les oignons sont cuits, ajoutez le curcuma, le chili, les épices écrasées et les tiges de coriandre ainsi que la citronnelle. Remuez bien, ajoutez le lait de coco et enfin le jus de citron vert. Salez, poivrez, laissez mijoter 10 minutes sur feu très doux, à découvert. La sauce va réduire et épaissir. Ajoutez le poulet à la sauce et faites cuire encore 10 minutes sur feu doux. Servez sur un lit de riz vert thaïlandais, garni des feuilles de coriandre.

Riz vert thaïlandais

Cette recette thaïlandaise ne nécessite pas tous ces éléments sophistiqués souvent si difficiles à trouver. La liste des ingrédients peut vous paraître longue mais, en réalité, la recette ne prend que quelques minutes et remplit votre cuisine de parfums ensorcelants.

4 personnes
35 cl de riz basmati blanc
50 g de crème de coco
25 cl d'eau bouillante
4 gousses d'ail pelées
2 gros chilis verts frais ou 3 moyens, débarrassés de leurs graines

Diluez la crème de coco dans l'eau bouillante, puis versez-la dans le bol d'un robot. Ajoutez l'ail, les chilis, le gingembre et les tiges de coriandre et broyez en une pâte très fine.

Réservez cette pâte pendant que vous faites chauffer l'huile dans la poêle sur feu doux ; ajoutez les bâtons de cannelle, les clous de girofle, le poivre et les noix de cajou. Faites sauter le tout 1 minute. Ajoutez les oignons et continuez la cuisson sur feu moyen jusqu'à ce qu'ils fondent et prennent légèrement couleur (de 8 à 10 minutes). Ajoutez le riz, remuez une fois et faites cuire encore de 2 à 3 minutes. Ensuite, ajoutez la crème au coco, remuez encore une fois et faites cuire de 2 à 3 minutes. Ajoutez les petits pois, salez, ajoutez les 45 cl d'eau chaude, portez à petit frémissement, puis couvrez. Baissez le feu au plus doux possible et faites cuire ainsi 8 minutes. Utilisez un minuteur et ne soulevez surtout pas le couvercle.

Retirez la poêle du feu, soulevez le couvercle et couvrez le riz d'un torchon propre pour absorber la vapeur pendant 10 minutes. Retirez la cannelle, aspergez de jus de citron vert, ajoutez les feuilles de coriandre hachées, puis aérez le riz avec une fourchette en mélangeant tous les ingrédients. Garnissez du reste de coriandre fraîche et servez avec la recette de poulet ci-dessus.

4 cm de gingembre frais, pelé
20 g de feuilles de coriandre fraîche finement hachées (réservez les tiges, ainsi que quelques feuilles pour la garniture finale)
2 cuillerées à dessert d'huile d'arachide ou de toute autre huile sans goût
3 bâtonnets de cannelle de 5 cm chacun
6 clous de girofle
15 grains de poivre noir
40 g de noix de cajous non salées, fendues en deux
2 oignons moyens, pelés et taillés en tranches fines
110 g de petits pois frais ou décongelés
1,5 cuillerée à café de sel (ou selon votre goût)
45 cl d'eau chaude
2 cuillerées à soupe de jus de citron vert

Il vous faudra également une poêle de 23 cm de diamètre munie d'un couvercle bien hermétique.

Poulet thaï à la crème de coco servi sur du riz vert thaïlandais.

Salade de riz carnaroli aux épices

Cette salade bien relevée, aux saveurs délicates, possède des accents marocains. Servez-la comme élément d'un buffet ou en accompagnement de viandes froides avec des chutneys épicés.

4 personnes
30 cl de riz carnaroli
3/4 de cuillerée à café de graines de cumin
1/2 cuillerée à café de graines de coriandre
2 gousses de cardamome
1 cuillerée à dessert d'huile d'arachide ou de toute autre huile sans goût, plus 1 cuillerée à café
25 g de pignons
40 g de raisins de Corinthe
40 g d'abricots secs moelleux, coupés en morceaux de 5 mm
1 bâtonnet de cannelle de 2,5 cm
1 feuille de laurier
60 cl d'eau bouillante
1 gros oignon rouge
3 oignons nouveaux parés et finement hachés
fleur de sel

La vinaigrette
2 cuillerées à soupe d'huile d'arachide ou de toute autre huile sans goût
4 cuillerées à soupe de jus de citron

Il vous faudra également une poêle de 20 cm de diamètre munie d'un couvercle.

Versez les graines de cumin, de coriandre et les gousses de cardamome dans une poêle à sec, sur feu moyen. Remuez-les pendant 2 minutes jusqu'à ce qu'elles prennent légèrement couleur et sautent dans la poêle. Pilez-les finement dans un mortier à l'aide d'un pilon.

Versez 1 cuillerée à dessert d'huile dans la poêle et, sur feu moyen, ajoutez les noix de cajou, les pignons, les raisins et les abricots, et faites-les sauter jusqu'à légère coloration. Ajoutez le riz et les épices grillées, la cannelle et le laurier, et remuez les grains jusqu'à ce qu'ils soient bien imprégnés d'huile. Ajoutez l'eau bouillante, salez, remuez une fois, puis couvrez, baissez le feu au plus doux possible et faites cuire exactement 15 minutes. Ne soulevez pas le couvercle et ne remuez surtout pas le riz. Pendant la cuisson, préchauffez le gril du four. Pelez l'oignon et coupez-le en tranches de 5 mm. Badigeonnez une face des oignons avec 1/2 cuillerée à café d'huile, déposez-les sur une grille et faites-les cuire sous le gril du four pendant 4 à 5 minutes jusqu'à ce qu'ils aient pris couleur. Retournez-les, badigeonnez-les du reste d'huile et faites griller l'autre face. Retirez-les du gril et laissez-les refroidir.

Quand le riz est cuit, retirez la poêle du feu, soulevez le couvercle et couvrez le riz d'un torchon propre pour absorber la vapeur pendant 5 minutes. Versez le riz dans un plat chauffé et ajoutez les deux tiers des oignons nouveaux. Fouettez l'huile et le jus de citron et versez le tout sur le riz avant de l'aérer avec une fourchette. Garnissez la salade des oignons grillés et du reste d'oignons nouveaux avant de servir.

Risotto aux gambas, sauce au homard

Ce risotto a des airs de luxe, mais il n'en est rien : cuit et gratiné au four, donc sans nécessité de surveiller et de remuer le riz en permanence, et la sauce est une bisque de homard en conserve additionnée de jerez.

2 personnes
175 g de grosses gambas décongelées, décortiquées et cuites
175 g de riz arborio
780 g de sauce bisque de homard en boîte
40 de beurre
1 oignon moyen pelé et finement haché
7,5 cl de jerez sec
50 g de gruyère râpé, plus un peu pour le service
2 cuillerées à soupe de crème fleurette
quelques branches de cresson frais pour la garniture
sel, poivre noir du moulin

Il vous faudra également un plat à gratin de 23 cm de côté et de 5 cm de profondeur, ainsi qu'une grande poêle. Préchauffez le four à 150 °C (th. 4-5).

Préchauffez le plat à gratin en le mettant au four. Pendant qu'il chauffe, faites fondre le beurre dans la poêle sur feu moyen et faites-y frire l'oignon pendant 7 à 8 minutes jusqu'à ce qu'il soit tendre. Ajoutez le riz et remuez bien pendant 2 minutes, puis ajoutez la bisque de homard et le jerez. Poivrez, salez légèrement, portez à frémissement, versez le tout dans le plat chauffé et faites cuire au four 35 minutes à découvert.

Sortez le plat du four et préchauffez le gril. Goûtez, rectifiez l'assaisonnement, ajoutez les crevettes. Parsemez de gruyère râpé et ajoutez la crème. Placez le plat sous le gril et faites gratiner de 2 à 3 minutes, jusqu'à ce que le fromage soit bien doré. Servez immédiatement, garni de cresson et du reste de fromage râpé.

9 Pâtes

Je crois qu'il est grand temps
de repenser les pâtes. Dans
les années 60, la gamme
en était encore étroite :
spaghetti, macaroni, coquillettes
et autres pâtes à potage.
Dès les années 80, les pâtes ont
littéralement explosé en formes
et en couleurs. Pourtant, ce que
l'on consomme actuellement
sous le nom de pâtes est souvent
très différent de ce qu'il devrait
être, en particulier les inutiles
« pâtes fraîches », épaisses
et collantes, à mille lieues
de la denrée légère, savoureuse et
facile à conserver que les Italiens
consomment depuis des siècles,
réservant la *pasta fresca* à des
usages bien circonscrits : lasagne,
ravioli et toutes les pâtes farcies.

Comment consommer les spaghetti et les pâtes longues en général

La première erreur est de vouloir en enrouler une trop grande quantité sur sa fourchette. Piquez juste deux ou trois pâtes et poussez-les vers le bord de l'assiette. Ensuite, tout en tenant l'ustensile perpendiculaire à l'assiette, imprimez-lui un simple mouvement circulaire afin de dégager ces quelques brins et de les ramener entièrement sur les dents de la fourchette en une bouchée bien nette. Plus facile à dire qu'à faire ? Peut-être, mais c'est en forgeant qu'on devient forgeron.

Spaghetti à l'huile d'olive, à l'ail et au piment

C'est la pasta à l'état pur, dégustée pour elle-même avec le minimum de fioritures : un soupçon d'ail, de piment et d'huile d'olive.

2 personnes
225 g de spaghetti ou de linguine
4 cuillerées à soupe d'huile d'olive italienne extra-vierge
2 grosses gousses d'ail, pelées et finement hachées
1 gros piment rouge (chili), débarrassé de ses graines et finement haché
gros sel, poivre noir du moulin

Faites cuire les pâtes à l'eau bouillante salée. Pendant ce temps, faites chauffer l'huile d'olive dans une petite poêle et, quand elle est chaude, faites-y frire l'ail et le piment. Poivrez. Faites cuire 2 minutes sur feu très doux afin que l'huile s'imprègne bien des arômes.

Quand les pâtes sont cuites, égouttez-les et reversez-les dans la casserole, puis ajoutez l'huile chaude. Mélangez bien, puis servez immédiatement sur des assiettes chaudes.

HUILE DOUCE

Linguine au gorgonzola, à la pancetta et à la roquette

Ici, des ingrédients aux saveurs affirmées se combinent en une parfaite harmonie.

2 personnes
225 g de linguine
110 g de gorgonzola piccante
125 g de lardons de pancetta ou de poitrine salée
50 g de feuilles de roquette lavées et essorées
20 cl de crème fraîche
1 gousse d'ail, pelée et finement écrasée
110 g de mozzarella taillée en petits dés
un peu de parmesan reggiano râpé pour le service
sel, poivre du moulin

Faites cuire les pâtes à l'eau bouillante salée en leur comptant 1 minute de cuisson en moins. Dans le bol d'un mixeur, réduisez le gorgonzola et la crème fraîche en pâte fine. Posez une grande poêle en fonte sur feu moyen et, dès qu'elle est très chaude, faites-y dorer les lardons de pancetta pendant 3 à 4 minutes. Ajoutez l'ail et remuez 1 minute. Retirez la poêle du feu et ajoutez les feuilles de roquette qui se flétriront légèrement lorsque vous les aurez mélangées aux autres ingrédients.

Quand les pâtes sont prêtes, égouttez-les immédiatement et remettez-les dans la casserole. Ajoutez la crème au gorgonzola, la mozzarella et le contenu de la poêle, puis remettez celle-ci sur feu doux et faites chauffer en remuant soigneusement pendant 1 minute. Donnez quelques généreux tours de moulin à poivre, un peu de sel si nécessaire, et servez immédiatement dans des assiettes creuses chauffées, saupoudré de parmesan.

Sauce aux tomates fraîches

On dit que les grands vins de Montrachet doivent être bus à genoux, la tête baissée en signe de révérence. Cette sauce tomate m'inspire le même respect : simple, classique, préparée avec des tomates mûres et goûteuses, elle exprime la quintessence de l'arôme de la tomate, encore exalté par les pâtes sur lesquelles on la sert. C'est la meilleure de toutes les sauces pour pâtes, et on peut la préparer à l'avance — et même la congeler.

2 ou 3 personnes (350 g de pâtes)
1,25 kg de tomates fraîches bien mûres et bien rouges
1 cuillerée à soupe d'huile d'olive
1 oignon moyen (110 g environ), pelé et finement haché
1 grosse gousse d'ail, pelée et finement écrasée
environ 12 feuilles fraîches de basilic à grandes feuilles
un peu de parmesan pour le service
sel, poivre noir du moulin

Pelez les tomates de la façon suivante : couvrez-les d'eau bouillante et laissez-les reposer exactement 1 minute, ou, si elles sont petites, de 15 à 30 secondes. Égouttez-les, retirez la peau en vous protégeant les mains d'un torchon si elles sont trop chaudes. Réservez 3 des tomates entières, concassez grossièrement le reste.

Faites chauffer l'huile dans une casserole moyenne, ajoutez les oignons et l'ail, faites-les fondre doucement 5 ou 6 minutes, jusqu'à légère coloration. Ajoutez les tomates concassées et un tiers du basilic grossièrement déchiré. Salez, donnez quelques tours de moulin à poivre et laissez mijoter sur feu très doux, à découvert, pendant environ 1 h 30 ou jusqu'à réduction presque complète. Remuez de temps en temps. Les tomates doivent être réduites à la consistance d'une compote épaisse. Hachez grossièrement les tomates réservées et incorporez-les à la sauce ainsi que le reste des feuilles de basilic grossièrement déchirées. Servez sur des pâtes avec un peu de parmesan râpé — pas trop, afin de ne pas masquer le merveilleux arôme des tomates.

Note : quand vous servez des pâtes avec cette sauce, il peut être judicieux de diminuer de 1 minute le temps de cuisson des pâtes. Égouttez-les, puis remettez-les dans la casserole et laissez-les cuire encore 1 minute pendant que vous ajoutez la sauce.

Pour monder les tomates, couvrez-les d'eau bouillante et laissez-les reposer 1 minute.

Égouttez les tomates et retirez leur peau.

Réunissez les ingrédients dans la casserole et faites mijoter 1 h 30 sur feu très doux.

Au bout de ce temps, la sauce tomate aura la consistance d'une compote épaisse.

Pasta Vialli

J'ai adapté ici une recette que j'ai goûtée au restaurant San Lorenzo, sur Knightsbridge, rendez-vous de prédilection de l'équipe du football-club de Chelsea. Le plat porte le nom de leur entraîneur vedette, Gianluca Vialli.

2 ou 3 personnes
350 g de penne rigate
1 recette de sauce aux tomates fraîches (page 175)
150 g de mozzarella taillée en dés de 2 cm
un peu de parmesan finement râpé pour le service
quelques feuilles de basilic entières pour la garniture

Réchauffez doucement la sauce tomate pendant que vous faites cuire les pâtes. Peu avant de servir, ajoutez les dés de mozzarella à la sauce et laissez chauffer sur feu très doux pendant 2 à 3 minutes, le temps de faire fondre légèrement la mozzarella sans lui faire perdre sa forme. Servez la sauce sur les pâtes égouttées, saupoudrez de parmesan et décorez de feuilles de basilic entières.

Penne aux champignons sauvages et à la crème fraîche

Ces penne sont adaptées de ma recette de risotto aux champignons sauvages. Ce goût de champignons concentré fait merveille aussi sur les pâtes. Comme celles-ci doivent cuire encore 1 minute avec la sauce, faites-les cuire à l'eau 1 minute de moins que le temps indiqué sur l'emballage.

4 à 6 personnes

500 g de penne rigate
450 g de champignons frais mélangés (pleurotes, champignons de couche, shiitake, chanterelles, girolles, etc.), nettoyés et finement hachés
10 g de cèpes séchés
3 cuillerées à soupe de lait
50 g de beurre
4 grosses échalotes pelées et finement hachées
2 cuillerées à soupe de vinaigre balsamique
1/4 de noix de muscade, finement râpée
beaucoup de parmesan fraîchement râpé pour le service
sel, poivre noir du moulin

Dans un bol, réunissez les cèpes séchés. Faites chauffer le lait et versez-le sur les cèpes. Laissez tremper 30 minutes. Faites chauffer le beurre sur feu doux dans une poêle moyenne et faites-y fondre les échalotes pendant 5 minutes. Égouttez les cèpes en filtrant le lait dans une fine passoire garnie d'un peu de papier absorbant ; réservez le lait. Pressez les cèpes pour ajouter le liquide qu'ils contiennent au lait réservé. Hachez finement les cèpes, ajoutez-les au contenu de la poêle avec les champignons frais et le vinaigre balsamique. Ajoutez sel, poivre et muscade. Remuez bien, puis faites cuire de 30 à 40 minutes sur feu doux, jusqu'à évaporation totale du liquide.

Environ 15 minutes avant la fin de la cuisson, faites cuire les pâtes à l'eau bouillante salée. 2 minutes avant la fin de la cuisson des pâtes, incorporez la crème fraîche aux champignons ainsi que le liquide de trempage des cèpes. Versez le tout dans une petite casserole et faites chauffer.

Égouttez les pâtes dans une passoire, reversez-les dans la casserole chaude et incorporez rapidement la sauce aux champignons. Laissez les pâtes cuire encore 1 minute sur feu très doux, le temps qu'elles absorbent la sauce. Servez-les à table dans un saladier chauffé et présentez à part un ravier de parmesan râpé.

Boulettes de viande aux spaghetti, sauce tomate

Qu'on les dise d'origine sicilienne, grecque ou nord-américaine, les boulettes destinées à être servies avec des spaghetti répondent à des critères de fabrication très divers. Mais il faut obéir à un seul principe : elles doivent fondre dans la bouche, sans sécheresse ni excès de fermeté.

4 personnes (24 boulettes)
225 g de porc haché
1 cuillerée à dessert de feuilles de sauge hachées
95 g de mortadelle ou de lard de poitrine salé
2 cuillerées à soupe de parmesan fraîchement râpé
2 cuillerées à soupe de feuilles de persil plat hachées
75 g de pain de mie débarrassé de la croûte, émietté et trempé dans 2 cuillerées à soupe de lait
1 gros œuf
un peu de muscade râpée
sel, poivre noir du moulin

Pour la cuisson et le service
de 1 à 2 cuillerées à soupe d'huile d'arachide
450 g de spaghetti
1 recette de sauce aux tomates fraîches (page 175)
un peu de parmesan râpé
quelques feuilles fraîches de basilic

Réunissez dans le bol d'un robot tous les ingrédients des boulettes. Mixez à basse vitesse jusqu'à obtention d'un mélange homogène. Si vous n'avez pas de robot, hachez tous les ingrédients au couteau le plus finement possible et mélangez-les avec une fourchette. Façonnez le mélange obtenu en boulettes de la taille d'une noix ; vous devriez en obtenir 24. Déposez-les sur une plaque, couvrez de film alimentaire et réservez 30 minutes au réfrigérateur pour raffermir la texture.

Pendant ce temps, préchauffez le four au thermostat 1. Au moment de faire cuire les boulettes, faites chauffer dans une grande poêle 1 cuillerée à soupe d'huile sur feu vif et déposez 12 boulettes dans la poêle. Faites-les cuire jusqu'à ce qu'elles soient dorées et croustillantes ; ajoutez un peu d'huile si nécessaire. Cette cuisson prendra 4 ou 5 minutes. Quand elles sont dorées, réservez-les sur une assiette, couvrez-les d'une feuille d'aluminium et faites-les attendre au four pendant que vous faites dorer le reste des boulettes.

Pendant ce temps, faites cuire les pâtes à l'eau bouillante salée et faites chauffer la sauce tomate sur feu doux. Égouttez les pâtes, remettez-les dans la casserole et ajoutez la sauce tomate. Remuez bien et répartissez le tout sur des assiettes chaudes. Déposez les boulettes sur les pâtes, saupoudrez de parmesan fraîchement râpé et décorez de quelques feuilles de basilic.

Gratin de rigatoni aux légumes rôtis

Voici une bonne recette pour un repas du soir sans viande. Les légumes cuits au four possèdent un arôme concentré, grillé et magique ; leurs couleurs sont exaltées. Les végétariens stricts peuvent omettre les anchois.

4 personnes
175 g de rigatoni
1 grosse cuillerée à soupe de parmesan râpé
57 cl de béchamel additionnée de 50 g de parmesan

Les légumes rôtis
2 courgettes moyennes
1 petite aubergine
500 g de tomates pelées
1 oignon moyen, pelé
1 petit poivron rouge débarrassé de ses graines
1 petit poivron jaune débarrassé de ses graines
3 cuillerées à soupe d'huile d'olive extra-vierge
2 gousses d'ail pelées et hachées
50 g d'olives noires dénoyautées, hachées
4 filets d'anchois égouttés et hachés
1 grosse cuillerée à soupe de câpres au sel ou au vinaigre, rincées et égouttées
50 g de mozzarella râpée
sel, poivre noir du moulin

Il vous faudra également un plat à rôtir de 20 x 26 cm et de 5 cm de profondeur, et une plaque de 28 x 40 cm.

Préparez les courgettes et les aubergines 1 heure à l'avance : détaillez-les en dés de 4 cm, sans les peler, et réunissez-les dans une grande passoire en couches successives, en saupoudrant chaque couche de sel fin. Posez une assiette sur la passoire et lestez-la d'un poids assez lourd afin de presser les légumes et d'exprimer l'eau de végétation. Au bout de 1 heure, pressez-les fortement dans vos mains, puis dans un torchon. Préchauffez le four à sa température maximale.

Coupez les tomates en quartiers, les oignons et les poivrons en morceaux de 4 cm. Disposez tous les légumes sur la plaque et ajoutez l'huile ainsi que l'ail haché. Remuez pour bien enduire les légumes d'huile, puis étalez-les le plus régulièrement possible. Salez, poivrez au moulin, et faites cuire au four en position élevée pendant 30 à 40 minutes, jusqu'à ce que les légumes soient dorés et légèrement brunis sur les bords. Pendant ce temps, faites chauffer l'eau pour faire cuire les pâtes.

5 minutes environ avant que les légumes soient cuits, faites cuire les rigatoni dans de l'eau bouillante pendant 6 minutes exactement, pas davantage. Égouttez les pâtes dans une passoire, versez-les dans un grand saladier et ajoutez les légumes rôtis, les olives, les anchois, les câpres et la sauce au fromage. Baissez la température du four à 200 °C (th. 7) en laissant la porte ouverte pour hâter le refroidissement. Étalez le mélange dans le plat à gratin en trois couches successives ; parsemez chaque couche de mozzarella, y compris la couche supérieure. Saupoudrez ensuite de parmesan. Faites cuire encore 6 minutes au four et servez très chaud avec une salade verte bien vinaigrée.
Si vous désirez préparer ce plat à l'avance, vous compterez de 35 à 40 minutes au four à 200 °C (th. 7) pour le réchauffer complètement.

Lasagne aux épinards, aux pignons et à la ricotta

Tout le monde adore cette recette, même les anti-épinards les plus irréductibles ! Le secret réside dans la combinaison des quatre fromages. Ces lasagne font partie de ma panoplie infaillible pour recevoir des végétariens à ma table.

4 à 6 personnes
85 cl de lait
50 g de beurre
50 g de farine
1 feuille de laurier
60 g de parmesan fraîchement râpé
sel, poivre noir du moulin

Les lasagne
12 feuilles de lasagne fraîches (250 g environ)
600 g de jeunes épinards
225 g de ricotta
50 g de pignons
1 noix de beurre
le quart d'une noix de muscade finement râpée
200 g de gorgonzola piccante émietté
200 g de mozzarella grossièrement râpée
sel, poivre noir du moulin

Il vous faudra également un plat à gratin de 23 x 23 cm et de 6 cm de profondeur, bien beurré. Préchauffez le four à 180 °C (th. 6).

Préparez la béchamel selon la méthode suivante : réunissez le lait, le beurre, la farine et la feuille de laurier dans une casserole, salez et poivrez bien, puis fouettez continuellement sur feu moyen jusqu'au point de frémissement où l'ensemble va épaissir. Baissez le feu au plus doux et laissez mijoter 5 minutes, puis incorporez 50 g de parmesan, retirez du feu, éliminez la feuille de laurier et couvrez directement la surface de la sauce d'un film alimentaire pour empêcher la formation d'une pellicule.

Équeutez les épinards, lavez-les soigneusement dans deux ou trois eaux, puis égouttez-les en les secouant. Faites chauffer la noix de beurre dans votre plus grande casserole sur feu moyen, ajoutez les épinards en saupoudrant d'un peu de sel. Couvrez et laissez étuver 2 minutes, le temps de « tomber » les épinards. Retournez les feuilles à mi-cuisson. Égouttez les épinards dans une passoire et, quand ils sont suffisamment tiédis, pressez-les pour éliminer le maximum d'humidité. Hachez-les finement au couteau sur une planche, mettez-les dans un saladier, ajoutez la ricotta et 15 cl de béchamel. Salez et poivrez bien, ajoutez la muscade râpée, puis mélangez intimement avant d'incorporer le gorgonzola émietté.

Dans une petite poêle sur feu moyen, faites griller les pignons à sec pendant 1 minute en secouant la poêle régulièrement. Veillez à ce qu'ils ne brûlent pas. Retirez la poêle du feu et commencez à monter les lasagne : étalez un quart de la sauce au fond du plat, puis, par-dessus, un tiers du mélange aux épinards. Parsemez de pignons. Couvrez de feuilles de lasagne ; il vous faudra peut-être en découper quelques-unes pour obtenir une couche régulière. Répétez l'opération en ajoutant, cette fois, un tiers de la mozzarella râpée avec les pignons. Recommencez une troisième fois en terminant par une couche de lasagne, le reste de la sauce, puis du parmesan et de la mozzarella. Au moment de faire cuire les lasagne, glissez le plat au milieu du four et faites cuire de 50 à 60 minutes, jusqu'à ce que la surface soit dorée et croustillante. Retirez du four et laissez reposer 10 minutes avant de servir.

Pâtes siciliennes aux tomates et aux aubergines confites

La garniture sicilienne classique pour les pâtes est généralement à base d'aubergines, de tomates et de mozzarella. Une dimension aromatique supplémentaire est obtenue en faisant rôtir à four vif les tomates et les aubergines.

2 personnes
225 g de spaghetti
12 belles tomates (900 g environ)
1 grosse aubergine coupée en dés de 1 cm
2 grosses gousses d'ail pelées et finement hachées
environ 4 cuillerées à soupe d'huile d'olive
12 grandes feuilles de basilic déchirées en deux, plus quelques-unes pour la garniture
150 g de mozzarella coupée en dés de 1 cm
sel, poivre noir du moulin

Il vous faudra également deux plaques de 26 x 35 cm.
Préchauffez le four à 200 °C (th. 7).

Dans une grande passoire, réunissez les dés d'aubergine et saupoudrez-les de sel. Laissez-les dégorger 30 minutes environ, couverts d'une assiette lestée d'un objet pesant (par exemple une boîte de conserve pleine).

Pendant ce temps, mondez les tomates : couvrez-les d'eau bouillante et laissez-les reposer exactement 1 minute. Égouttez-les, laissez tiédir quelques minutes et retirez leur peau dès que vous pouvez les manipuler. Coupez chaque tomate en deux ; déposez les demi-tomates, côté rond vers le bas, sur une des plaques, salez, poivrez, parsemez d'ail haché et arrosez chaque demi-tomate d'un peu d'huile d'olive. Déposez 1/2 feuille de basilic sur chacune et retournez-la pour bien l'enduire d'huile. Glissez la plaque au milieu du four et faites rôtir les tomates de 50 à 60 minutes, jusqu'à ce qu'elles soient légèrement brunies.

Pendant cette cuisson, égouttez et pressez les aubergines pour éliminer tout excès d'humidité. Séchez-les soigneusement dans un torchon et étalez-les sur l'autre plaque. Arrosez de 1 cuillerée à soupe d'huile d'olive sur toute la surface et glissez la plaque au sommet du four, au-dessus des tomates. Faites-les cuire 30 minutes.

Vers la fin de cette cuisson, faites cuire les pâtes à l'eau bouillante salée. Lorsque les tomates et les aubergines sont cuites, débarrassez-les dans une casserole en raclant bien les plaques pour récupérer les délicieux jus de cuisson caramélisés, ajoutez les dés de mozzarella et remuez doucement sur feu doux. Égouttez les pâtes, versez-les dans un grand saladier, ajoutez la garniture d'aubergines et de tomates et décorez de quelques feuilles de basilic.

Gratin de macaroni soufflé

Dieu sait combien de gratins de macaroni j'ai fait dans ma vie !
Mais celui-ci, vous pouvez me croire, est le meilleur de tous.

2 gros appétits
175 g de macaroni
25 g de beurre
1 oignon moyen (110 g environ), pelé et finement haché
25 g de farine
30 cl de lait
1/4 de noix de muscade finement râpée
75 g de mascarpone
les jaunes de 2 gros œufs, légèrement battus
50 g de gruyère finement râpé
50 g de parmesan reggiano finement râpé
les blancs de 2 gros œufs
sel, poivre noir du moulin

Il vous faudra également un plat à gratin peu profond de 15 x 20 cm et de 5 cm de profondeur, légèrement beurré.
Préchauffez le four à 200 °C (th. 7).

Il est important de commencer avec tous les ingrédients préparés et pesés à portée de main. Versez 2,25 l d'eau dans une grande casserole, ajoutez 1 cuillerée à dessert de sel et portez à ébullition. Ensuite, dans une petite casserole, faites fondre le beurre sur feu doux, ajoutez les oignons et laissez-les fondre sans coloration pendant 5 minutes. Ajoutez la farine, remuez pour obtenir une pâte homogène et ajoutez petit à petit le lait, sans cesser de remuer avec une cuillère en bois. Prenez un fouet ballon et battez continuellement jusqu'à obtention d'une sauce lisse et sans grumeaux. Salez, poivrez au moulin, ajoutez la muscade et laissez mijoter 5 minutes sur feu doux. Ce temps écoulé, hors du feu, incorporez le mascarpone en fouettant, ainsi que les jaunes d'œufs. Enfin, incorporez le gruyère et le parmesan.

Mettez le plat à gratin au four pour le préchauffer, puis jetez les macaroni dans l'eau bouillante et, au retour de l'ébullition, faites-les cuire al dente (de 4 à 6 minutes), pas plus, car ils subiront une seconde cuisson au four. Lorsqu'il ne reste qu'une minute de cuisson, fouettez les blancs d'œufs en neige ferme mais non rigide. Égouttez les pâtes dans une passoire, secouez-les un instant pour les débarrasser de l'eau, puis remettez-les dans la casserole et mélangez-y la sauce au fromage en remuant bien. Incorporez doucement et délicatement les blancs d'œufs en tournant et en soulevant le mélange afin d'incorporer le plus d'air possible.

Retirez du four le plat chauffé, versez-y les pâtes, secouez une ou deux fois pour égaliser la surface, saupoudrez du reste de parmesan et remettez le plat au four pour faire cuire 12 minutes, ou jusqu'à ce que le gratin soit doré et soufflé. Servez presto pronto.

Note : si vous voulez augmenter les proportions pour 4 personnes, doublez la quantité de tous les ingrédients et utilisez un plus grand moule à gratin (20 x 25 cm et 5 cm de profondeur). Comptez de 3 à 5 minutes de plus au four.

Gratin de cannelloni

J'ai découvert que la meilleure méthode pour obtenir des cannelloni parfaits était d'utiliser des feuilles de lasagne, qui ne nécessitent aucune précuisson. On les trouve facilement au rayon frais des grandes surfaces ; quant à la farce, il s'agit d'un simple mélange pour boulettes de viandes.

4 personnes
8 feuilles de lasagne fraîches (175 g environ)
1 recette de farce pour boulettes de viande (page 178)
150 g de mozzarella taillée en dés
40 g de parmesan finement râpé, plus un peu pour le service

La béchamel
60 cl de lait
50 g de beurre
25 g de farine
1 feuille de laurier
une généreuse râpée de muscade
65 cl de crème double ou de crème d'Isigny
sel, poivre noir du moulin

Il vous faudra également un plat à gratin de 18 x 23 cm et de 5 cm de profondeur, beurré.

Réunissez le lait, le beurre, la farine, le laurier, la muscade et un peu de sel et de poivre dans une casserole moyenne, faites chauffer sur feu moyen sans cesser de fouetter et portez à frémissement jusqu'à épaississement de la sauce. Baissez le feu au plus doux et laissez mijoter 5 minutes, retirez la feuille de laurier, ajoutez la crème, goûtez pour rectifier l'assaisonnement, puis couvrez et réservez.

Préchauffez le four à 180 °C (th. 6) et coupez les feuilles de lasagne en deux dans le sens de la longueur, de façon à obtenir 16 rectangles. Divisez la farce pour boulettes en deux, puis chaque moitié en huit, roulez chaque portion dans vos mains en forme de saucisse d'environ 7,5 cm de longueur. Déposez chacune sur une feuille de lasagne et roulez celle-ci autour de la farce en soulevant la feuille par le côté court. Au fur et à mesure, disposez les canelloni dans le plat à gratin, perpendiculairement au bord allongé du plat (voir photo), de façon à obtenir deux rangées de canelloni bout à bout. Nappez de la sauce, parsemez de dés de mozzarella, saupoudrez de parmesan et glissez le plat au milieu du four. Faites cuire 40 minutes ; le gratin doit être doré et bouillonnant. Retirez-le du four et laissez reposer 10 minutes avant de déguster, saupoudré du reste de parmesan.

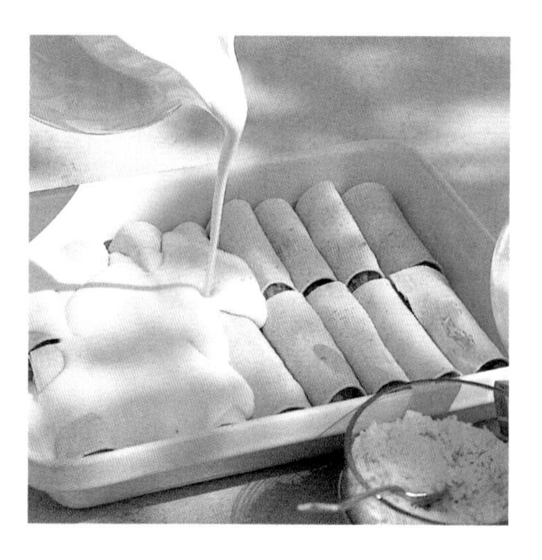

10 Fruits

Le sous-titre de ce chapitre
pourrait être « comment
préserver notre héritage ».
En effet, il y a malheureusement
un prix à payer pour le progrès :
l'uniformisation des denrées.
Des fruits nous arrivent
du monde entier par avion,
mais chaque jour ou presque,
en Europe, disparaît un fruit
d'autrefois, une pomme
de tradition. Et il est bien
dommage que nos propres
cultivateurs de fruits aient tant
de difficulté à maintenir
en vie les espèces déclinantes,
aux goûts si délicieux.

Sablés aux noix de pécan et aux framboises, coulis de framboise

8 personnes
110 g de noix de pécan décortiquées
150 g de beurre ramolli
60 g de sucre glace non raffiné
ou de cassonade passée au mixeur
150 g de farine tamisée
60 g de farine de riz ou de crème
de riz tamisée

Le coulis de framboise
225 g de framboises fraîches
2 cuillerées à soupe de sucre semoule

La crème framboisée
450 g de framboises fraîches;
réservez-en 24 pour la garniture finale
20 cl de crème fraîche
15 cl de crème pâtissière
2 gouttes d'extrait de vanille

La garniture de framboises
24 belles framboises réservées
de la garniture précédente
un peu de sucre glace non raffiné
ou de cassonade passée au mixeur

Il vous faudra également deux plaques à pâtisserie de 28 x 40 cm, légèrement beurrées, et un emporte-pièce rond de 9 cm de diamètre.
Préchauffez le four à 180 °C (th. 6).

La crème pâtissière allégée (mélangée à de la crème fouettée) change agréablement de la crème pâtissière classique, un peu lourde pour ce dessert. Additionnée de framboises, prise en sandwich entre deux fins sablés croquants aux noix de pécan, c'est la réussite assurée pour vos desserts d'été.

Faites griller les noix de pécan au four, sur une plaque, pendant 8 minutes. Laissez-les refroidir et réduisez-les en poudre dans le bol d'un robot. Elles doivent avoir la finesse d'une poudre d'amandes. Dans un saladier, battez le beurre et le sucre glace en une crème légère et aérée, puis incorporez peu à peu la farine de blé puis la farine de riz, et enfin la poudre de noix de pécan. Ramassez ce mélange en une boule ferme. Glissez cette pâte dans un sac en plastique et faites-la reposer 30 minutes au réfrigérateur.

Au bout de ce temps, abaissez la pâte à 5 mm d'épaisseur, puis découpez-y 16 cercles en déposant l'emporte-pièce sur l'abaisse puis en donnant un coup sec. Soulevez ensuite l'emporte-pièce, le disque de pâte tombera tout seul. Déposez les biscuits sur les plaques et piquez-les légèrement avec les pointes d'une fourchette. Faites cuire au four de 10 à 12 minutes, puis laissez refroidir sur les plaques pendant 10 minutes; enfin, laissez refroidir complètement sur une grille.

Pendant ce temps, réunissez dans un saladier les framboises destinées au coulis. Saupoudrez-les du sucre et laissez reposer 30 minutes. Ensuite, réduisez-les en purée au mixeur et passez-les au tamis fin pour éliminer les pépins; versez le coulis dans un bol de service ou dans une saucière, couvrez et gardez au réfrigérateur.

Préparez la crème framboisée : dans un saladier, fouettez la crème au fouet électrique jusqu'à obtention d'une Chantilly ferme. Incorporez la crème pâtissière et l'extrait de vanille; fouettez encore jusqu'à l'obtention d'une crème lisse et épaisse. Couvrez, réservez au réfrigérateur.
Au moment de servir, répartissez la crème sur 8 des biscuits, couvrez des framboises (n'oubliez pas d'en réserver 24), nappez de coulis à la cuillère, puis déposez sur le tout le second biscuit. Décorez ce dernier de 3 des framboises réservées et saupoudrez d'un voile de sucre glace.

Note : évitez de préparer ce dessert trop longtemps à l'avance, car le contact de la crème ramollit vite les sablés.

Petits bavarois au fromage blanc, compotée de fruits rouges

Ces petits bavarois crémeux peuvent également être préparés à base de mascarpone. Ici, le fromage blanc offre une variante plus légère et tout aussi délicieuse. C'est en tout cas l'accompagnement parfait pour une compote de fruits, par exemple cette compotée de fruits rouges.

6 personnes
800 g de fromage blanc à 8 % de matière grasse
3 feuilles de gélatine
15 cl de lait demi-écrémé
75 g de cassonade fine
1 gousse de vanille fendue

La compotée
225 g de prunes rouges
225 g de cerises
225 g de myrtilles
225 g de fraises
225 g de framboises
50 g de cassonade fine

Il vous faudra également 6 petits bols ronds en porcelaine de 18 cl de contenance, légèrement enduits d'huile d'arachide, de maïs ou de toute autre huile sans goût, ainsi qu'un plat à gratin d'au moins 23 cm de côté et de 5 cm de profondeur.
Préchauffez le four à 180 °C (th. 6).

Placez les feuilles de gélatine dans de l'eau froide pour les faire ramollir et laissez-les tremper 5 minutes (photos ci-dessous, à gauche et au centre). Pendant ce temps, versez le lait dans une casserole, ajoutez le sucre et la gousse de vanille. Faites chauffer 5 minutes sur feu doux, jusqu'à dissolution du sucre. Retirez du feu, égouttez la gélatine, pressez-la entre vos mains pour l'essorer, puis ajoutez-la au lait chaud (ci-dessous, à droite). Fouettez pour bien dissoudre et laissez tiédir.

Dans un grand saladier, fouettez le fromage blanc pour le lisser. Ajoutez le mélange lait-gélatine, en retirant la gousse de vanille. Fouettez de nouveau, assez longtemps et très soigneusement. Versez ce mélange dans les petits bols en les emplissant à 1 cm des bords. Enfin, couvrez de film alimentaire et laissez prendre au moins 3 heures au réfrigérateur.

Préparez la compotée en commençant par les prunes : coupez-les en deux et dénoyautez-les, puis coupez chaque demi-prune en quatre. Réunissez les prunes, les cerises équeutées mais entières et les myrtilles dans le plat à gratin. Saupoudrez de sucre, glissez le plat au milieu du four et faites cuire à découvert pendant 15 minutes. Ajoutez alors les fraises (coupées en deux si elles sont grosses), faites cuire encore de 10 à 15 minutes, jusqu'à ce que les fruits soient tendres et aient rendu leur jus. Retirez du four et ajoutez les framboises, laissez tiédir, couvrez de film alimentaire et réservez au réfrigérateur.

Pour servir les bavarois, détachez-les délicatement des parois des bols avec votre petit doigt, démoulez-les sur des assiettes de service et servez garni de la compotée de fruits rouges.

Note : si vous préférez utiliser de la gélatine en poudre plutôt qu'en feuilles, versez 3 cuillerées à soupe de lait dans un bol. Saupoudrez-le de 11 g de gélatine (1 sachet) et laissez reposer environ 5 minutes. Pendant ce temps, versez le reste de lait dans une casserole, ajoutez le sucre et la gousse de vanille. Faites chauffer 5 minutes sur feu doux, jusqu'à dissolution du sucre. Retirez du feu et incorporez à la gélatine en fouettant soigneusement. Laissez refroidir, puis incorporez le mélange ainsi obtenu au fromage frais tout en fouettant. Continuez en suivant les instructions de la recette de base.

Trifle à la banane, sauce madère

L'entremets anglais appelé trifle *se décline dans une infinité de variétés. Celui-ci, préparé pour les grandes occasions, possède l'arôme riche et subtil du caramel au beurre. Pour mesurer le sirop, pesez d'abord la casserole vide, versez-y le sirop sans la retirer de la balance et comptez 150 g de plus.*

De 6 à 8 personnes
3 bananes moyennes
15 cl de madère
12 biscuits à la cuillère

La sauce butterscotch
15 cl de sirop de maïs (*Golden Syrup*)
50 g de beurre
75 g de vergeoise de canne
50 g de cassonade
15 cl de crème double ou de crème d'Isigny
quelques gouttes d'extrait de vanille

La crème pâtissière
60 cl de crème fleurette
les jaunes de 6 gros œufs
1 gousse de vanille
1 cuillerée à dessert de Maïzena
50 g de sucre semoule

La garniture
La crème pâtissière de la recette
50 g de cerneaux de noix de pécan
30 cl de crème double ou de crème d'Isigny

Il vous faudra également une grande coupe en verre de 1,75 l de contenance.

Préparez la sauce butterscotch en faisant chauffer sur feu doux le sirop, le beurre et les sucres jusqu'à dissolution, en remuant de temps en temps (de 5 à 7 minutes). Continuez la cuisson 5 minutes environ, puis incorporez graduellement la crème double et l'extrait de vanille. Laissez refroidir et, pendant ce temps, préparez la crème pâtissière.

Fendez et grattez la gousse de vanille, ajoutez les graines et la gousse fendue à la crème versée dans une petite casserole. Portez à frémissement sur feu doux, couvrez et gardez au chaud. Fouettez les jaunes d'œufs avec le sucre et la Maïzena jusqu'à blanchiment du mélange. Ajoutez la crème frémissante (retirez auparavant la gousse de vanille) en fouettant bien, et fouettez le tout sur feu doux jusqu'à obtention d'une crème épaisse et onctueuse. Versez dans une jatte, couvrez directement la surface d'un film alimentaire et mettez au réfrigérateur

Versez un fond de sauce butterscotch dans la coupe en verre. Déposez-y les biscuits à la cuillère en appuyant bien pour les briser et les faire adhérer à la sauce. Arrosez du madère sur toute la surface, et laissez reposer 20 minutes.

Pelez les bananes et coupez-les en rondelles de 5 mm. Répartissez-les sur la couche de biscuits, puis versez le reste de sauce butterscotch en une couche égale et régulière. Versez ensuite la crème pâtissière refroidie, couvrez directement la surface de film alimentaire et faites prendre au réfrigérateur.

Préchauffez le gril du four et faites-y rôtir les noix de pécan sur une plaque garnie d'aluminium pendant 4 minutes. Surveillez-les, car elles brûlent facilement. Laissez-les refroidir pendant que vous fouettez la crème double en Chantilly pas trop ferme (un peu baveuse) ; étalez cette crème sur la surface de l'entremets, décorez des noix de pécan, protégez à nouveau de film alimentaire (cette fois sans couvrir directement la surface) et réservez au réfrigérateur jusqu'au moment de servir.

Note : préparez ce trifle le jour où vous comptez le consommer. Auparavant, j'ajoutais les noix de pécan juste avant de servir, mais comme je les oubliais souvent, je les ajoute directement après avoir étalé la crème fouettée.

Petits paniers aux pommes et aux raisins secs

C'est le principe de la bonne vieille tarte aux pommes, mais elle est divisée en petits paniers individuels qui facilitent le service.

8 personnes

La pâte brisée

350 g de farine
1 pincée de sel
75 g de saindoux à température ambiante
75 g de beurre à température ambiante
un peu d'eau glacée

La garniture

225 g de pommes canada ou boskoop, non pelées, évidées et coupées en dés de 1 cm
110 g de pomme cox orange ou reines des reinettes, non pelées, évidées et coupées en dés de 1 cm
75 g de raisins de Smyrne trempés toute une nuit dans du cidre brut
8 cuillerées à café de semoule de blé dur
16 clous de girofle
50 g de cassonade, plus 1 cuillerée à café pour en saupoudrer les paniers
1 blanc d'œuf légèrement battu

Il vous faudra également une plaque antiadhésive à rebord de 15 x 26 cm et de 2,5 cm de profondeur.

La veille, faites tremper les raisins dans le cidre brut. Le lendemain, confectionnez la pâte : tamisez la farine avec la pincée de sel dans un grand saladier, en tenant haut le tamis. Ajoutez le beurre et le saindoux, du bout des doigts, en émiettant les ingrédients et en les soulevant au-dessus du mélange. Lorsque celui-ci a la consistance d'une semoule, ajoutez 1 cuillerée à soupe d'eau glacée. Mélangez à l'aide d'une lame de couteau et finissez de ramasser la pâte avec vos mains, en ajoutant un peu d'eau si nécessaire, jusqu'à obtention d'une boule homogène qui laisse les parois du saladier propres. Enfermez-la dans un sac en plastique et faites reposer 30 minutes au réfrigérateur. Égouttez les raisins.

Pendant ce temps, préchauffez le four à 200 °C (th. 7). Sortez la pâte du réfrigérateur, divisez-la en quatre pâtons. Farinez légèrement le plan de travail, abaissez chaque pâton en un rectangle d'environ 13 x 26 cm, puis découpez chaque abaisse en deux carrés de 13 cm de côté. En travaillant sur deux carrés à la fois, saupoudrez-les de semoule, mélangez les deux variétés de pommes et garnissez chaque carré comme suit : 2 cuillerées à soupe de dés de pomme, 2 clous de girofle, 2 cuillerées à soupe de cassonade et quelques raisins égouttés. Badigeonnez les bords de chaque carré d'un peu de blanc d'œuf battu, puis pincez les quatre coins du carré pour former un panier sans anse. À l'aide d'une spatule métallique, soulevez chaque panier et déposez-le dans le moule. Disposez les paniers côte à côte, bien serrés dans le plat. S'il vous reste des pommes et des raisins, répartissez-les entre les paniers. Vous pouvez laisser ceux-ci ouverts ou les refermer davantage en étirant les coins vers le centre, comme sur la photo ci-contre. Badigeonnez la pâte du reste de blanc d'œuf et saupoudrez du reste de cassonade ainsi que du supplément indiqué dans la liste des ingrédients. Faites cuire 50 minutes juste au-dessus du milieu du four, avant de servir chaud avec de la crème fraîche, de la glace à la vanille ou une crème anglaise. N'oubliez pas de prévenir vos invités que des clous de girofle se cachent dans ces paniers…

Note : en hiver, on aime bien la note sucrée des raisins secs, mais en automne n'hésitez pas à les remplacer par des mûres — ou, en été, par des groseilles à maquereau, des myrtilles, etc. Dans le cas des mûres ou des groseilles, ajoutez 100 g de sucre. Si vous utilisez des mûres, des groseilles, de la rhubarbe ou du cassis, garnissez le fond de chaque panier de 1 cuillerée à dessert rase de semoule pour absorber l'excès de jus.

Tartelettes fines à l'abricot et à l'amaretto

En hiver, les abricots secs conviennent parfaitement à cette recette, mais en été, vous pouvez utiliser la même quantité d'abricots frais, coupés en deux et dénoyautés.

6 personnes
1 pâte semi-feuilletée
27 abricots secs moelleux
6 cuillerées à café d'amaretto
18 amandes entières mondées, légèrement grillées et effilées au couteau (facultatif)
6 grosses cuillerées à café de cassonade

Pour servir
un peu de sucre glace tamisé
20 cl de crème fraîche

Il vous faudra également 2 plaques épaisses de 26 x 30 cm, légèrement huilées, et un emporte-pièce rond de 10 cm de diamètre.

Abaissez la pâte à 3 mm d'épaisseur sur un plan légèrement fariné. Découpez-y 6 disques de 10 cm et déposez ceux-ci sur la plaque. Préchauffez le four à 220 °C (th. 8).

Coupez les abricots en deux et placez 9 demi-abricots sur chaque disque de pâte. Garnissez de quelques amandes effilées (si vous les utilisez). Versez 1 cuillerée à café d'amaretto sur chaque tartelette, saupoudrez de cassonade et faites cuire de 10 à 12 minutes au four, une plaque au sommet du four, l'autre juste en dessous. La pâte doit être dorée et croustillante et les abricots légèrement caramélisés. Permutez les plaques à mi-cuisson pour qu'elles dorent régulièrement.

Servez chaud, saupoudré de sucre glace et accompagné de crème fraîche bien froide. Vous pouvez également servir froid.

Tartelettes aux pommes et aux pruneaux

Si vous trouvez des pruneaux demi-secs, tendres et moelleux, c'est parfait. Sinon, des pruneaux d'Agen dénoyautés, légèrement humectés de thé et réservés pendant 1 heure feront l'affaire.

6 personnes
1 pâte semi-feuilletée
15 pruneaux d'Agen demi-secs, coupés en deux dans le sens de la longueur
3 petites pommes cox orange ou reines des reinettes non pelées
un peu de cannelle en poudre
2 cuillerées à soupe de miel liquide
crème fouettée ou crème fraîche pour servir

Il vous faudra également 2 plaques épaisses de 26 x 30 cm, légèrement huilées, et un emporte-pièce rond de 10 cm de diamètre.

Abaissez la pâte à 3 mm d'épaisseur sur un plan légèrement fariné, découpez-y 6 disques de 10 cm et déposez ceux-ci sur la plaque. Préchauffez le four à 220 °C (th. 8).

Coupez chaque pomme en quartiers, retirez le cœur et coupez chaque quartier en deux dans le sens de la longueur. Disposez les pommes et les pruneaux en rosace, en les alternant, sur les fonds de tartelette, puis saupoudrez de cannelle. Faites cuire au four de 10 à 12 minutes, une plaque au sommet du four, l'autre juste en dessous. La pâte doit être dorée et croustillante. Permutez les plaques à mi-cuisson pour qu'elles dorent régulièrement. Retirez du four, et, tant que les fruits sont encore chauds, glacez-les avec un peu de miel liquide. Servez chaud, accompagné de crème fraîche ou de crème Chantilly.

Tartelettes fines à la poire au vin

Il n'y a rien de plus joli que ces tartelettes qui produisent beaucoup d'effet à la fin d'un dîner. Sans être d'une simplicité enfantine, elles restent, bien que délicieuses, relativement faciles à préparer.

6 personnes
1 pâte semi-feuilletée
3 poires fermes, pelées mais non équeutées
30 cl de bon vin rouge
25 g de sucre semoule
1 bâtonnet de cannelle
1/2 gousse de vanille
1 cuillerée à café d'arrow-root

Il vous faudra également 2 plaques épaisses de 26 x 30 cm, légèrement huilées, et un emporte-pièce rond de 10 cm de diamètre.

Disposez les poires sur un côté, au fond d'une casserole ou d'un faitout qui les contienne largement. Mélangez le vin et le sucre, versez le tout sur les poires, ajoutez la vanille et la cannelle, couvrez, portez à frémissement et faites cuire 45 minutes sur feu doux. Les poires doivent être tendres quand vous les piquez avec une brochette. Retournez-les à mi-cuisson pour qu'elles prennent couleur sur toute leur surface. Vers la fin de la cuisson, préchauffez le four à 220 °C (th. 8).

Abaissez la pâte à 3 mm d'épaisseur sur un plan légèrement fariné, découpez-y 6 disques de 10 cm et déposez ceux-ci sur la plaque.

Retirez les poires du vin de cuisson à l'aide d'une écumoire, égouttez-les et découpez-les de la façon suivante : appuyez le pédoncule de la poire contre le plan de travail et fendez-le en longueur à l'aide d'un couteau pointu et tranchant. Posez la poire debout et séparez-la en deux en coupant à travers le pédoncule fendu. Retirez le cœur de chaque moitié. Pour découper les demi-poires en éventail, incisez chacune en tranches parallèles à partir du sommet et légèrement en biais, mais sans couper au niveau du pédoncule. Déposez chaque demi-poire sur un fond de tartelette, étalez les tranches de façon à former un éventail (voir photo ci-contre), glissez les plaques au four, l'une au sommet, l'autre juste en dessous, et faites cuire de 10 à 12 minutes en permutant les plaques à mi-cuisson.

Pendant ce temps, faites réduire le vin de pochage sur feu moyen en retirant la cannelle et la vanille. Au bout de 5 à 6 minutes, le jus doit avoir une consistance sirupeuse. Mélangez l'arrow-root avec quelques gouttes d'eau jusqu'à obtention d'une pâte lisse, ajoutez celle-ci au jus réduit en fouettant vigoureusement avec un petit fouet ballon. La sauce va légèrement épaissir. Retirez du feu et laissez tiédir.

Lorsque les tartelettes sont cuites, retirez-les du four. Servez chaud ou froid, mais juste avant de servir nappez-les d'un peu de sauce pour leur donner un joli aspect glacé.

De haut en bas, trois tartelettes fines : à la poire au vin, aux pommes et aux pruneaux, à l'abricot et à l'amaretto.

Compotes de fruits au yaourt

Pour préparer cet entremets traditionnel d'été, j'ai découvert l'auxiliaire idéal : le yaourt grec, épais et onctueux. En effet, il met en valeur la saveur des fruits. Si vous servez ceci à quelqu'un qui n'aime pas le yaourt, ne vous inquiétez pas, il ne s'apercevra de rien.

6 personnes
900 g de groseilles à maquereau parées et équeutées avec des ciseaux
275 g de yaourt à la grecque
150 g de cassonade

Il vous faudra également un plat allant au four, en porcelaine ou en émail, de 23 cm de côté, et 6 coupes en verre pour le service, pouvant contenir 20 cl environ.
Préchauffez le four à 180 °C (th. 6).

Compote de groseilles à maquereau

La saveur des groseilles à maquereau est exaltée par la cuisson au four. Disposez les groseilles dans le plat à gratin, saupoudrez-les de la cassonade et faites-les cuire au milieu du four, à découvert, pendant 20 à 30 minutes, jusqu'à ce qu'elles soient tendres. Versez-les dans une passoire fine placée au-dessus d'un saladier afin de les égoutter de leur excès de jus, réservez le quart des groseilles égouttées et mixez le reste en purée épaisse en ajoutant 4 cuillerées à soupe du jus d'égouttage.

Laissez refroidir complètement cette purée, puis videz le yaourt dans un saladier, remuez bien et incorporez la moitié de la purée de groseilles. Répartissez le mélange dans les coupes de service à l'aide d'une cuillère et ajoutez les groseilles réservées. Couvrez de film alimentaire et réservez au réfrigérateur jusqu'au moment de servir.

Compote de rhubarbe

C'est une délicieuse variante de la recette ci-dessus : parez et lavez 600 g de rhubarbe et coupez-la en morceaux de 2,5 cm. Mettez-les dans un plat allant au four, saupoudrez de 75 g de cassonade et ajoutez 1 cuillerée à café de gingembre frais finement râpé. Faites cuire au four, à la même température que pour les groseilles, pendant 30 à 40 minutes jusqu'à ce que la rhubarbe soit bien tendre. Égouttez-la dans un tamis et réduisez-la en purée avec 2 cuillerées à soupe du jus d'égouttage. Quand elle est complètement refroidie, incorporez la moitié de cette purée à 20 cl de yaourt grec dans un saladier, répartissez le mélange entre 4 coupes de service et couvrez du reste de purée de rhubarbe. Taillez 2 morceaux de gingembre confit en julienne et garnissez-en l'entremets. Couvrez, gardez au réfrigérateur. Cette quantité suffit pour 4 personnes.

Bananes en sauce fudge, noix du Brésil grillées

Le record de vitesse enregistré pour l'exécution de cette recette est non pas de cinq minutes mais de trois ! Ce dessert est vraiment délicieux, et pour les oiseaux rares qui pourraient ne pas aimer le yaourt grec, il vous suffira de le préparer avec de la crème fouettée.

4 personnes
2 grosses bananes
50 g de noix du Brésil décortiquées
500 g de yaourt à la grecque
150 g de sucre brut (sucre mélasse ou muscovado)

Il vous faudra également 4 coupes de service d'une contenance de 20 cl.
Préchauffez le gril du four.

Étalez les noix du Brésil sur une plaque garnie d'aluminium et faites-les rôtir sous le gril du four à 10 cm de la source de chaleur pendant 3 minutes, en utilisant un minuteur (sinon, surveillez-les bien, car elles brûlent vite). Retirez-les du gril et réservez-les.

Pelez les bananes et coupez-les en tranches fines. Disposez-les dans un saladier, ajoutez le yaourt et remuez bien. Répartissez le mélange entre les coupes de service et saupoudrez-les de sucre mélasse en une couche régulière. Couvrez de film alimentaire et réservez 3 heures au réfrigérateur. Au bout de ce temps, le sucre, en fondant, se sera transformé en une délicieuse sauce caramélisée. Hachez grossièrement les noix du Brésil, décorez-en les desserts, servez… et attendez les compliments.

Meringues au coulis de fraise

Cet entremets est inspiré des fraises à la crème que l'on sert à l'université d'Eton, en Grande-Bretagne, selon la tradition, le 4 juin de chaque année. Si vous avez l'habitude de rater vos meringues, cette recette est faite pour vous : comme il faut les briser en morceaux, leur tenue à la cuisson n'a guère d'importance. Ce dessert est donc un excellent exercice de meringues : préparez-le encore et encore jusqu'à ce que vous produisiez des meringues parfaites ! Vous aurez, à chaque fois, un délicieux dessert d'été. Mais n'oubliez pas de faire les meringues la veille du jour où vous désirez le servir.

6 personnes
175 g de cassonade fine
les blancs de 3 gros œufs
450 g de fraises fraîches lavées et équeutées
1 grosse cuillerée à soupe de sucre glace non raffiné ou de cassonade passée au mixeur
60 cl de crème double ou de crème fleurette

Il vous faudra également 1 plaque de 28 x 40 cm garnie de papier sulfurisé antiadhésif.
Préchauffez le four à 150 °C (th. 4-5).

Ayez la cassonade fine pesée à portée de main, réunissez les blancs d'œufs dans un saladier très propre et battez-les au fouet électrique jusqu'à ce qu'ils montent en neige souple. Ajoutez alors le sucre graduellement, une cuillerée à soupe à la fois, tout en fouettant jusqu'à incorporation complète. Battez en neige ferme et satinée, prenez des cuillerées de ce mélange et déposez-les sur la plaque garnie. Glissez la plaque au four en position médiane, baissez la température à 140 °C (th. 4) et faites cuire les meringues 1 heure. Au bout de ce temps, éteignez le four, laissez-y les meringues toute la nuit afin de les laisser dessécher complètement.

Au moment de préparer l'entremets, hachez la moitié des fraises et réduisez-les en purée, au mixeur, avec le sucre glace. Passez au tamis pour obtenir un coulis. Hachez grossièrement le reste des fraises et fouettez la crème en chantilly de consistance baveuse.

Vous pouvez réaliser toutes ces étapes à l'avance. Au moment d'assembler le dessert, brisez les meringues en morceaux de 2,5 cm environ, réunissez les morceaux dans un grand saladier, ajoutez les fraises hachées, et incorporez brièvement la crème en tournant et soulevant le mélange. Ajoutez en tournant, environ 2 cuillerées à soupe de coulis sans trop mélanger, pour produire un effet marbré. Débarrassez le tout dans un plat de service, arrosez du reste de coulis de fraise et servez sans attendre.

Palets d'avoine aux prunes et à la cannelle

Voici une excellente recette pour ceux qui aiment les fruits. Elle est particulièrement délicieuse préparée avec des prunes, mais j'aime également la faire avec des abricots frais ou des abricots secs moelleux. Ou encore avec des pommes, des framboises, des myrtilles… tout ce qui est de saison. Servis chauds, avec de la crème fraîche, ou froids, avec une crème glacée, ou en lieu de gâteau pour accompagner le thé, vous adorerez ces palets. Et ils sont si faciles à préparer que les enfants s'en feront une joie.

Pour 15 palets
450 g de prunes fraîches
1 grosse cuillerée à café de cannelle de Ceylan en poudre
275 g de farine complète biologique
150 g de flocons d'avoine biologiques
1 cuillerée à café de sel
225 g de beurre
110 g de vergeoise blonde

Il vous faudra également un moule carré ou rectangulaire antiadhésif de 15 x 26 cm et de 2,5 cm de profondeur, légèrement huilé. Préchauffez le four à 200 °C (th. 7).

Coupez toutes les prunes en deux dans le sens de la longueur. Retirez les noyaux et coupez la chair en fines tranches. Réunissez-les dans un bol, ajoutez la cannelle et mélangez. À part, mélangez la farine et les flocons d'avoine, ajoutez le sel. Réservez. Faites chauffer le beurre et le sucre dans une petite casserole sur feu doux, en remuant de temps en temps jusqu'à ce que le beurre soit fondu. Mélangez le beurre et le sucre fondus avec le mélange farine-avoine, d'abord avec une cuillère en bois, ensuite avec les mains, jusqu'à ce que vous obteniez une boule de pâte. Divisez cette dernière en deux et étalez-en une moitié dans le moule en la pressant bien avec les mains en une couche uniforme, comme une moquette. Couvrez des prunes émincées, couvrez du reste de pâte, que vous étalez comme l'autre moitié.

Glissez le moule au milieu du four et faites cuire de 25 à 30 minutes — un peu plus longtemps si vous désirez une surface croustillante. Retirez le moule du four et laissez tiédir 10 minutes, puis détaillez en 15 rectangles (faites 2 incisions dans la longueur et 4 dans la largeur ; si les palets ne sont pas égaux, ce n'est pas grave). Laissez refroidir dans le moule, sauf si vous désirez servir chaud.

Note : si vous voulez servir ces palets au dessert, vous pouvez les faire cuire dans un moule à savarin. Détaillez en 8 morceaux et servez tout chaud au sortir du four.

Ci-contre : sur le dessus, palet à l'abricot et à la cannelle ; en dessous, palet à la prune et à la cannelle.

Figues rôties au gorgonzola, sauce vinaigrée au miel

Une association de saveurs un peu hétéroclite, direz-vous, mais il n'en est rien : c'est une entrée rapide, originale et d'une grande simplicité.

4 personnes en entrée
12 figues mûres
175 g de gorgonzola piccante coupé en dés de 5 mm
sel, poivre noir du moulin

La sauce
2 cuillerées à soupe de miel grec
2 cuillerées à soupe de vinaigre de vin rouge

Il vous faudra également un plat à gratin de 26 x 35 cm, huilé. Préchauffez le gril du four.

Il suffit d'essuyer les figues, de les couper en deux, et de les disposer, côté peau en dessous, dans le plat à gratin. Salez, poivrez au moulin, et faites griller 5 ou 6 minutes jusqu'à ce qu'elles grésillent. Retirez le plat du gril, répartissez les dés de fromage équitablement sur les figues en appuyant un peu pour le faire adhérer aux fruits. Remettez le plat sous le gril pendant 2 minutes, jusqu'à ce que le fromage soit légèrement doré et grésillant.

Pendant ce temps, mélangez le miel et le vinaigre pour faire la sauce et servez les figues nappées de celle-ci.

Oranges aux épices et au porto

Voilà une bonne recette de Noël. Vous pouvez la préparer à l'avance, car elle se conserve très bien au frais. Elle accompagne les volailles froides, les gibiers et le porc, et surtout le jambon chaud ou froid.

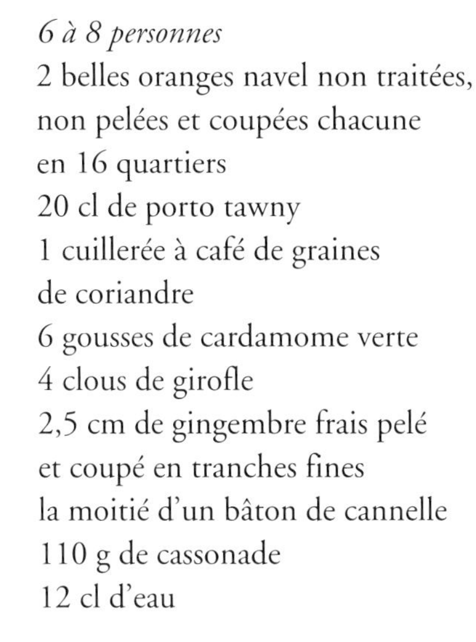

6 à 8 personnes
2 belles oranges navel non traitées, non pelées et coupées chacune en 16 quartiers
20 cl de porto tawny
1 cuillerée à café de graines de coriandre
6 gousses de cardamome verte
4 clous de girofle
2,5 cm de gingembre frais pelé et coupé en tranches fines
la moitié d'un bâton de cannelle
110 g de cassonade
12 cl d'eau

Il vous faudra également une terrine ou une cocotte allant au feu de 20 cm de diamètre et de 2,25 l de contenance.
Préchauffez le four à 140 °C (th. 4).

Versez les graines de coriandre et les gousses de cardamome dans une petite poêle et faites-les griller à sec sur feu moyen. Remuez-les pendant 1 à 2 minutes jusqu'à ce qu'elles prennent couleur et commencent à sauter. Écrasez-les légèrement dans un mortier. Placez les quartiers d'orange, côté peau en dessous, dans la cocotte, parsemez des épices. Ajoutez le reste des ingrédients, et portez le tout à frémissement sur feu doux. Couvrez, glissez la cocotte au bas du four et laissez cuire 3 heures. Au bout de ce temps, la peau des oranges se sera attendrie.

Laissez refroidir, conservez dans une boîte ou dans un bocal à fermeture hermétique et réservez 2 jours au réfrigérateur afin de laisser les arômes se développer.

Crumble aux pommes et aux amandes

Encore un dessert providentiel : tous les fruits peuvent y être utilisés. J'adore le crumble aux pêches ou aux abricots en été, à la rhubarbe au printemps, aux mûres et aux pommes en automne. Quel que soit le fruit que vous choisissiez, le crumble est léger et croustillant, presque croquant.

6 à 8 personnes
700 g de pommes boskoop ou canada
225 g de pommes cox orange ou reines des reinettes
25 g de vergeoise blonde
1 cuillerée à café de cannelle en poudre
1 pincée de poudre de clou de girofle

Le crumble
110 g d'amandes entières non mondées
75 g de beurre très froid coupé en petits dés
175 g de farine autolevante tamisée
2 cuillerées à café de cannelle en poudre
110 g de cassonade

Pour le service
crème fleurette ou crème anglaise

Il vous faudra également un plat à gratin en porcelaine ovale (sabot) de 19 x 28 cm et de 4,5 cm de profondeur, ou un plat à gratin round de 24 cm de diamètre et de 4,5 cm de profondeur.
Préchauffez le four à 200 °C (th. 7).

Préparez les pommes : coupez-les en quartiers, pelez ceux-ci et retirez les cœurs. Coupez-les en grosses tranches et réunissez-les dans un saladier avec le sucre. Mélangez bien, versez le tout dans le plat à gratin et réservez.

La préparation du crumble est on ne peut plus simple, puisqu'elle se fait dans le bol d'un robot : réunissez-y la farine tamisée, le beurre, la cannelle et le sucre, et donnez quelques coups de moteur jusqu'à obtention d'un mélange ressemblant à des miettes. Ajoutez les amandes et donnez encore quelques coups de moteur jusqu'à ce qu'elles soient assez finement hachées, avec quelques morceaux çà et là. À défaut de robot, mélangez la farine et le sucre du bout des doigts, ajoutez ensuite la cannelle, le sucre et enfin les amandes, hachées au couteau le plus finement possible. Parsemez les pommes du mélange crumble en l'étalant jusqu'aux parois du moule. Appuyez avec la paume de la main pour bien compresser le mélange : plus il sera compact, plus il sera croustillant. Marquez enfin toute la surface avec les dents d'une fourchette.

Faites cuire le crumble au milieu du four pendant 35 à 40 minutes, jusqu'à ce que la surface soit bien dorée et croustillante. Laissez reposer 10 à 15 minutes et servez chaud avec de la crème anglaise ou de la crème fleurette.

11

Pâtisseries et chocolat

Vous croyez que vous n'êtes pas doué pour les gâteaux ? Je vous prouverai le contraire. L'art de la pâtisserie n'est pas le champ de bataille qu'on imagine souvent. Il y a deux principes à suivre invariablement : le premier consiste à toujours suivre les règles, le second à toujours suivre la recette. Faire un gâteau, ce n'est pas tout mélanger et voir ensuite ce qui en sort, et ceux qui se vantent de ne jamais suivre de recette en pâtisserie sont des gens, à mon avis, qui ne trouvent rien à redire à un certain niveau de médiocrité. Comme je l'ai dit, la pâtisserie parfaite nécessite une grande attention aux règles : une fois que vous possédez celles-ci, tout devient simple et limpide.

Petits monts-blancs

Au début des années 60, je travaillais dans un restaurant et ce dessert était au menu. Depuis ce temps, je suis une inconditionnelle de la crème de marrons, dont l'affinité avec la meringue et la crème fouettée est indéniable. Dans cette version moderne, j'ai remplacé la crème par un mélange de mascarpone et de fromage blanc ; l'effet crémeux est toujours présent, mais le fromage blanc l'allège quelque peu.

8 personnes
Les meringues
les blancs de 2 gros œufs
110 g de sucre semoule

La garniture
250 g de mascarpone
20 cl de fromage blanc à 8 % de matière grasse
1 grosse cuillerée à soupe de sucre semoule
1 cuillerée à café d'extrait de vanille naturelle

La finition
2 boîtes de 250 g de crème de marrons de l'Ardèche sortant du réfrigérateur
un peu de sucre glace

Il vous faudra aussi une plaque de 30 x 40 cm garnie de papier sulfurisé. Préchauffez le four à 150 °C (th. 4-5).

Pour confectionner les meringues, placez les blancs d'œufs dans un grand saladier et battez-les au fouet électrique à basse vitesse pendant 2 minutes jusqu'à ce qu'ils soient mousseux. Ensuite, passez à la vitesse moyenne et fouettez 1 minute. Passez à la vitesse supérieure et fouettez en neige ferme. Incorporez graduellement le sucre à haute vitesse, une cuillerée à dessert à la fois, jusqu'à obtention d'un mélange ferme et satiné.

Déposez à la cuillère 8 gros tas de ce mélange sur la plaque garnie de papier sulfurisé, en les espaçant régulièrement. À l'aide du dos d'une cuillère ou d'un couteau palette, creusez les centres pour façonner les meringues en forme de nids. Ne cherchez pas à les faire trop lisses, un aspect accidenté est plus esthétique (voir photos ci-dessous). Glissez la plaque au milieu du four, baissez immédiatement la température à 110 °C (th. 2-3), et faites cuire 30 minutes. Éteignez le four au bout de ce laps de temps et laissez sécher les meringues dans le four fermé jusqu'à refroidissement complet de celui-ci (au moins 4 heures ou, mieux, toute la nuit). Ces meringues se conservent bien dans une boîte en métal ou en plastique. On peut également les congeler.

Pour assembler les monts-blancs, répartissez la crème de marrons dans les nids de meringue, mélangez au fouet les ingrédients de la garniture et répartissez celle-ci sur la crème de marrons. Un léger voile de sucre glace produira un très bel effet de montagne enneigée.

Les nids de meringue avant cuisson…

… et après.

Soufflés chauds au *lemon curd*

4 personnes
3 gros œufs
le zeste râpé et le jus de 1 citron moyen (2 cuillerées à soupe de jus)
50 g de sucre semoule + 1 cuillerée à dessert

Le lemon curd, *méthode rapide*
Le zeste râpé et le jus de 1 petit citron
1 gros œuf
40 g de sucre semoule
25 g de beurre doux, froid, coupé en petits dés
1 cuillerée à café de Maïzena

Pour servir
un peu de sucre glace tamisé

Il vous faudra également 4 petits moules à soufflé de 6 cm de diamètre à la base, de 7,5 cm de diamètre au sommet, légèrement beurrés, ainsi que d'une plaque à pâtisserie petite et épaisse.
Préchauffez le four à 170 °C (th. 5-6).

Ces soufflés plaisent beaucoup, surtout au cuisinier, parce qu'ils ne s'effondrent jamais, au contraire des soufflés traditionnels. Sortis du four, ils retombent légèrement, mais un quart d'heure plus tard (s'ils sont encore intacts), ils sont encore tout à fait aériens, comme il se doit. Le soufflé représenté ci-dessous, à gauche, a en réalité vingt-quatre heures. Certes, il ne dépasse pas des bords, mais il est encore tendre, moelleux, délicieusement citronné. Ajoutez à cela ma recette de lemon curd *rapide et vous obtenez ma recette au citron préférée.*

Commencez par confectionner le *lemon curd.* Fouettez légèrement l'œuf dans une casserole moyenne, ajoutez le reste des ingrédients et posez la casserole sur feu moyen. Fouettez continuellement jusqu'à ce que le mélange épaississe, ce qui ne prendra pas plus de 3 minutes en tout. Baissez le feu au plus doux et laissez mijoter 1 minute de plus, sans cesser de fouetter. Au bout de ce laps de temps, retirez du feu et répartissez le *curd* au fond des moules à soufflé. (Vous pouvez réaliser cette étape à l'avance, mais dans ce cas couvrez et gardez à température ambiante.)

Au moment de préparer les soufflés, séparez les blancs des jaunes d'œufs. Réunissez les jaunes dans un saladier moyen et les blancs dans un saladier plus grand, très propre. À l'aide d'un batteur électrique, fouettez les blancs en neige ferme, ce qui prendra de 4 à 5 minutes, d'abord à basse vitesse puis en augmentant celle-ci graduellement jusqu'à une vitesse rapide. Ajoutez alors la cuillerée à dessert de sucre semoule et fouettez 30 secondes à haute vitesse. Ajoutez ensuite aux jaunes d'œufs le zeste et le jus de citron ainsi que les 50 g de sucre restants et mélangez brièvement. Prenez 1 cuillerée de blancs montés et incorporez-les aux jaunes pour les détendre, et incorporez ensuite le reste des blancs en un mouvement circulaire et en soulevant et coupant le mélange : le principe est qu'il reste bien aéré. À l'aide d'une cuillère, répartissez dans les moules l'appareil à soufflé en forme de dôme le plus élevé possible. Passez le doigt à l'intérieur du bord de chaque moule pour le nettoyer, ce qui facilite la montée.

Disposez les moules garnis sur la plaque et glissez le tout au milieu du four. Faites cuire de 15 à 17 minutes, jusqu'à ce que le sommet des soufflés soit bien doré. Retirez du four et laissez reposer 5 minutes, le temps que le *lemon curd* tiédisse légèrement. Les soufflés retombent un peu, mais c'est normal. Juste avant de servir, déposez-les sur de petites assiettes et saupoudrez-les légèrement de sucre glace.

Crème caramel classique

Longtemps, j'ai tâtonné à la recherche de la meilleure formule de crème caramel : crème fleurette, crème double, crème fraîche ? Ce mélange de lait et de crème fleurette donne une crème légère, onctueuse et ferme à la fois. Je pense avoir trouvé les proportions idéales.

4 à 6 personnes
Le caramel
175 g de sucre semoule
2 cuillerées à soupe d'eau chaude du robinet

La crème
20 cl de lait entier
25 cl de crème fleurette
4 gros œufs
1 cuillerée à café d'extrait de vanille naturelle

Pour servir
environ 30 cl de crème légère

Il vous faudra également un moule à soufflé d'une contenance de 1 litre, de 13 à 15 cm de diamètre et de 7,5 cm de profondeur, ainsi que d'un grand plat à rôtir à bord haut.
Préchauffez le four à 150 °C (th. 4-5).

Préparez le caramel en premier : versez le sucre dans une petite casserole et faites-le chauffer sur feu moyen. Laissez-le tranquille en le surveillant jusqu'à ce qu'il se liquéfie sur les bords (de 4 à 6 minutes). Secouez vivement la casserole et faites chauffer jusqu'à ce qu'un quart du sucre soit fondu. Remuez doucement avec une cuillère en bois et continuez la cuisson jusqu'à ce que tout le sucre, entièrement fondu, prenne une couleur de miel liquide foncé (10-15 minutes environ). Retirez du feu et ajoutez l'eau (attention aux projections). Si nécessaire, remettez la casserole sur le feu en remuant bien le caramel pour faciliter la dissolution. Une fois le caramel bien homogène, versez-en les deux tiers dans le moule à soufflé et faites tourner celui-ci en l'inclinant pour bien enduire le fond et les parois de caramel. Réservez.

Préparez la crème : versez le lait et la crème fleurette dans la casserole contenant le reste du caramel et posez celle-ci sur feu doux, tout en fouettant afin de bien dissoudre le caramel. Ne vous inquiétez pas s'il adhère au fouet, car le liquide chaud le fera fondre. Portez à très petit frémissement sans cesser de tourner avec le fouet, puis retirez du feu. Cassez les œufs dans un grand saladier et battez-les au fouet, puis ajoutez graduellement, tout en fouettant, le mélange lait-crème-caramel chaud. Ajoutez l'extrait de vanille et passez le tout au chinois au-dessus du moule garni de caramel. S'il reste un peu de caramel non fondu dans la casserole, remplissez celle-ci d'eau chaude, ajoutez une goutte de détergent à vaisselle et faites chauffer sur feu doux pour nettoyer le récipient.

Déposez le moule à soufflé dans le plat à rôtir, versez-y de l'eau chaude du robinet à hauteur des deux tiers du moule. Glissez le tout à mi-hauteur du four préchauffé et faites cuire 1 h 15, jusqu'à ce que la crème soit bien prise au centre (elle doit résister au toucher). Retirez le moule du bain-marie, laissez complètement refroidir, puis couvrez de film alimentaire et réservez au réfrigérateur avant de démouler.

Au moment de servir, passez la lame d'un couteau palette délicatement entre le bord de la crème et la paroi du moule sur toute la circonférence, recouvrez d'un plat creux, large et profond, retournez le tout d'un seul coup en donnant une secousse. Retirez le moule : vous obtenez une crème bien régulière et bien ferme, baignant dans une sauce caramel dorée. Servez en tranches, accompagné d'un peu de crème légère qui se mêlera à la sauce caramel.

Scones au lait ribot et pâte de framboise

La légèreté de ces petits scones vous séduira. Les pâtes de fruits dont il est ici question sont des confitures anglaises traditionnelles qu'on réalisait dans les campagnes par une cuisson longue et douce. Leur arôme concentré et leur consistance épaisse et gélifiée en font les partenaires rêvés pour les scones. Quant à la clotted cream, *la crème épaisse typique du sud-ouest de l'Angleterre, vous pouvez la remplacer par du mascarpone.*

Pour 10 scones
3 cuillerées à soupe de lait ribot ou de lait fermenté, plus un peu pour la finition
225 g de farine autolevante, plus un peu pour la finition
1 pincée de sel
75 g de beurre mou
40 g de sucre semoule
1 gros œuf battu

La pâte de framboise
450 g de framboises
175 g de sucre semoule ou de cassonade fine

Pour servir
clotted cream ou mascarpone

Il vous faudra également une plaque à pâtisserie légèrement huilée, ainsi qu'un emporte-pièce de 5 cm de diam. Préchauffez le four à 220 °C (th. 8).

Pour réaliser la pâte de framboise, réduisez les framboises en purée dans le bol d'un robot. Passez-les au tamis fin en pressant bien les fruits à l'aide d'une cuillère en bois pour prélever le maximum de jus et de pulpe. Vous devez en obtenir environ 43 cl. Versez cette purée dans une casserole moyenne, ajoutez le sucre et faites chauffer sur feu très doux jusqu'à dissolution du sucre. Augmentez la chaleur afin de faire bouillir le mélange pendant 8 à 10 minutes, en remuant de temps en temps pour l'empêcher d'attacher. La pâte est prête quand le contenu de la casserole a réduit d'un tiers et qu'une cuillère en bois passée au fond de la casserole laisse une traînée blanche pendant 1 ou 2 secondes, mais ne faites pas trop cuire, sous peine d'obtenir de la colle. Versez la pâte de framboise dans un bol de service et laissez refroidir au moins 1 heure.

Préparez les scones : tamisez dans un saladier la farine et le sel, incorporez le beurre du bout des doigts, en émiettant, jusqu'à obtention d'un mélange ressemblant à de la semoule grossière. Ajoutez le sucre. Dans un pichet, battez l'œuf et 2 cuillerées à soupe de lait ribot. Incorporez le tout graduellement, tout en mélangeant avec la lame d'un couteau palette. Lorsque la pâte commence à prendre corps, ramassez-la en boule avec les mains ; elle doit être souple mais non collante. Si elle vous semble trop sèche, ajoutez encore un peu de lait ribot par petites cuillerées.

Renversez la boule de pâte sur un plan légèrement fariné. Abaissez-la au rouleau en un disque d'au moins 2,5 cm d'épaisseur, surtout pas moins : le secret des scones bien levés est l'épaisseur de la pâte. Découpez les scones avec l'emporte-pièce en appuyant sur celui-ci d'un coup sec, puis soulevez l'emporte-pièce et poussez la pâte pour faire retomber le scone. Quand il ne vous reste que les chutes, ramassez-les en boule, abaissez-les de nouveau et détaillez d'autres scones jusqu'à épuisement de la pâte.

Déposez les scones sur la plaque, badigeonnez-les d'un peu de lait ribot et saupoudrez d'un voile de farine. Faites cuire au four de 10 à 12 minutes en position élevée, jusqu'à ce que les scones soient bien levés et dorés. Retirez-les du four et laissez-les refroidir sur une grille. Servez les scones tartinés d'une couche épaisse de pâte de framboise et sans lésiner sur la *clotted cream.*

Note : n'oubliez pas que les scones ne se conservent pas longtemps ; au cas improbable où il en resterait, congelez-les. La pâte de framboise, elle, se garde deux semaines au réfrigérateur.

Crème cappuccino, sauce café

C'est LE dessert au café par excellence, qui rendra fou les amateurs de café. Il s'inspire d'une vieille recette de pudding appelée « nid-d'abeilles », qui est censée se séparer en couches, mais qui, malheureusement, ne le fait pas toujours. J'ai abandonné l'idée d'obtenir ce résultat précis, car la saveur en soi est délicieuse. Vous pouvez servir dans des verres à Irish coffee ou dans des verres ordinaires. Le contraste aromatique entre la crème de café non sucrée, la sauce douce et sirupeuse et l'onctuosité de la crème est fabuleux.

6 personnes
6 grosses cuillerées à café de poudre de café espresso soluble
15 cl d'eau
3 feuilles de gélatine
30 cl de lait entier
3 gros œufs, blancs et jaunes séparés
1 grosse cuillerée à café de Maïzena
20 cl de crème fraîche

La sauce
3 grosses cuillerées à café de poudre de café espresso soluble
175 g de sucre semoule
23 cl d'eau

Pour servir
15 cl de crème d'Isigny

Il vous faudra également 6 verres de service de 20 cl de contenance.

Faites tremper la gélatine 5 minutes dans de l'eau froide. Pendant ce temps, versez le lait dans une casserole moyenne et faites-le chauffer sur feu doux. Dans un saladier, battez les jaunes d'œufs avec la Maïzena et, quand le lait atteint le point de frémissement, versez-le sur ce mélange petit à petit, sans cesser de fouetter. Versez le tout dans la casserole, ajoutez la gélatine égouttée et la poudre d'espresso, faites chauffer sur feu moyen et continuez de fouetter jusqu'à ce que le mélange soit bien lisse et épais. Le café soluble et la gélatine doivent être totalement dissous. Retirez la casserole du feu et versez la crème dans un grand saladier. Laissez refroidir, puis incorporez la crème fraîche.

Dans un autre saladier, à l'aide d'un fouet bien propre, fouettez les blancs en neige pas trop ferme. Incorporez-en 2 cuillerées à soupe à la crème au café afin de détendre le mélange, puis incorporez le reste. Répartissez le mélange dans les verres de service, couvrez de film alimentaire, réservez pendant 2 heures dans un endroit frais puis gardez au réfrigérateur jusqu'au moment de servir.

Préparez la sauce au café : faites chauffer le sucre et l'eau sur feu doux en fouettant jusqu'à dissolution complète, puis faites cuire 15 minutes sur feu doux, à découvert, jusqu'à obtention d'un sirop. Diluez le café soluble dans 1 cuillerée à dessert d'eau chaude, incorporez le tout au sirop et versez dans un pichet. Laissez refroidir. Pendant ce temps, fouettez la crème en chantilly pas trop ferme (« baveuse ») et servez les crèmes cappuccino garnies de la crème fouettée, le tout arrosé d'un peu de sauce au café.

Note : cette recette contient des œufs crus.

Mousse très chocolatée

Dans les années 60, cette mousse était la recette au chocolat la plus populaire. Autres temps, autres recettes, et celle-ci est un peu tombée en désuétude. Il est grand temps, je le crois, de la sortir de l'oubli : elle le mérite par sa simplicité et son excellence.

6 personnes
200 g de chocolat noir à 75 % de cacao, cassé en petits morceaux
12 cl d'eau tiède
3 gros œufs, blancs et jaunes séparés
40 g de sucre semoule

Pour servir
un peu de crème fouettée (facultatif)

Il vous faudra également 6 petits ramequins de 15 cl de contenance, ou 6 coupes de service.

Réunissez le chocolat en morceaux et l'eau tiède dans un grand saladier placé au-dessus d'une casserole d'eau juste frémissante. Le saladier ne doit pas toucher l'eau. Sur feu très doux, laissez fondre doucement le chocolat, ce qui prendra environ 6 minutes. Retirez du feu et remuez jusqu'à ce que le chocolat fondu soit lisse et brillant. Laissez refroidir 2 ou 3 minutes, puis incorporez, un à un, les jaunes d'œufs. Remuez encore une fois avec une cuillère en bois.

Dans un saladier bien propre, battez les blancs d'œufs en neige pas trop ferme. Incorporez le sucre, un tiers à la fois, et fouettez encore jusqu'à obtention d'une meringue ferme et satinée. À l'aide d'une cuillère en métal, incorporez une cuillerée de blancs d'œufs dans le chocolat pour le détendre un peu, puis incorporez-y le reste avec beaucoup de précaution, en coupant et soulevant le mélange d'un mouvement circulaire. Armez-vous de patience pour exécuter cette opération le plus délicatement possible, car la mousse doit rester bien aérée. Cela fait, répartissez la mousse dans les ramequins ou dans les coupes, couvrez de film alimentaire et laissez refroidir au moins 2 heures au réfrigérateur. J'aime bien servir cette mousse garnie d'un peu de crème fouettée.

Note : cette recette contient des œufs crus.

Fondant-croquant de chocolat aux pistaches et aux griottes

Cette recette fut, au départ, proposée au cours d'une émission de cuisine destinée aux enfants. Depuis, la préparation est devenue plus sophistiquée, mais elle reste toujours assez simple : pas de cuisson, faite en un tournemain, c'est l'entremets chocolaté idéal pour les gens pressés.

12 personnes
225 g de chocolat noir à 75 % de cacao, cassé en petits morceaux
110 g de pistaches mondées, non salées, grossièrement concassées
50 g de cerises séchées ou de griottes séchées
50 g de raisins de Smyrne
3 cuillerées à soupe de rhum
50 g de beurre
15 cl de crème d'Isigny légèrement fouettée
225 g de biscuits aux flocons d'avoine grossièrement concassés

Pour servir
un peu de cacao en poudre
crème fraîche, crème fouettée ou crème fleurette

Il vous faudra également un moule à manqué à fond amovible de 20 cm de diamètre et de 4 cm de profondeur, légèrement huilé.

La veille, faites tremper les cerises et les raisins dans le rhum pendant tout une nuit. Au moment de réaliser votre fondant, réunissez le chocolat en morceaux et le beurre dans un grand saladier placé au-dessus d'une casserole d'eau frémissante. Le saladier ne doit pas toucher l'eau. Sur feu très doux, laissez fondre le chocolat 6 minutes, jusqu'à ce qu'il soit lisse et satiné. Retirez le saladier du feu, remuez soigneusement le chocolat et laissez-le tiédir 2 ou 3 minutes. Incorporez la crème fouettée, puis les fruits secs égouttés, les pistaches et les biscuits concassés. Remuez soigneusement pour bien mélanger. Étalez ce mélange à la cuillère dans le moule à manqué en une couche égale et régulière. Couvrez de film alimentaire et réservez au réfrigérateur pendant 4 heures au moins. Pour servir, saupoudrez la surface d'un peu de cacao en poudre, coupez en parts et servez avec de la crème fraîche, de la crème fleurette ou de la crème fouettée.

Petits puddings moelleux au chocolat

Voici un entremets très léger, très riche en chocolat, fourré d'un cœur moelleux qui se répand sur l'assiette quand on y plonge la cuillère. Tous mes remerciements vont à Galton Blackiston, ainsi qu'à toute l'équipe de Morston Hall à Norfolk, pour m'avoir communiqué cette recette.

8 personnes
200 g de chocolat noir à 75 % de cacao, cassé en petits morceaux
200 g de beurre coupé en dés
2 cuillerées à soupe de cognac
110 g de sucre semoule
4 gros œufs entiers + les jaunes de 4 gros œufs
1 cuillerée à dessert d'extrait de vanille naturelle
60 g de farine

Pour servir
un peu de crème fleurette

Il vous faudra également 8 petits bols ronds pouvant supporter la chaleur (ou 8 petits moules à pudding ou à charlotte individuels) de 18 cl de contenance, généreusement enduits de beurre fondu.

Réunissez le chocolat en morceaux, le beurre et le cognac dans un grand saladier placé au-dessus d'une casserole d'eau juste frémissante. Le saladier ne doit pas toucher l'eau. Sur feu très doux, laissez fondre le chocolat pendant 6 à 7 minutes, puis retirez-le du feu et remuez-le soigneusement jusqu'à ce qu'il soit lisse et lustré.

Pendant que le chocolat fond, réunissez le sucre, les œufs entiers, les jaunes d'œufs et l'extrait de vanille dans un autre saladier, déposez celui-ci sur un torchon pour le stabiliser, et battez le tout à l'aide d'un fouet électrique à haute vitesse jusqu'à ce que le mélange ait doublé de volume (entre 5 et 10 minutes selon les capacités du batteur). Vous devez obtenir une mousse légère dans laquelle les pales du batteur, une fois retirées, laissent une trace nette et sinueuse (voir photo ci-dessous, à gauche).

À présent, versez le chocolat fondu sur tout le pourtour de ce mélange et incorporez-le à partir du bord en un mouvement circulaire vers le centre. Cela fait, tamisez la farine au-dessus du mélange et amalgamez soigneusement le tout à l'aide d'une grande cuillère en métal. Armez-vous de patience : cette opération doit être menée délicatement et lentement, en coupant et en soulevant le mélange par gestes circulaires. Elle doit prendre de 3 à 4 minutes.

Répartissez le mélange dans les moules à pudding, presque à ras bord. Déposez-les sur la plaque. Vous pouvez les couvrir de film alimentaire et les garder au réfrigérateur, ou au congélateur, jusqu'au moment de les faire cuire. Quand vous êtes prêt, préchauffez le four à 200 °C (th. 7) pendant 10 minutes. Retirez le film alimentaire qui protège les puddings, et faites cuire à mi-hauteur du four pendant 14 minutes s'ils sortent du réfrigérateur, 15 minutes s'ils sortent du congélateur, 12 minutes s'ils sont à température ambiante. Au bout de ce temps, les puddings doivent avoir levé et le centre doit être ferme sous le doigt (le cœur, toutefois, reste fondant). Laissez reposer 1 minute hors du four (2 minutes si les puddings étaient congelés avant cuisson), puis dégagez les bords avec la lame d'un couteau et démoulez les puddings sur des assiettes individuelles. Servez sans attendre une seconde, accompagné de crème bien froide.

En refroidissant, le centre de ces puddings continue de se figer. Ils peuvent donc être servis froids, avec de la crème fouettée, comme petits gâteaux au chocolat au cœur fondant.

Note : cette recette contient des œufs très peu cuits.

Gâteau au chocolat, à l'armagnac et aux pruneaux

Voici le plus léger des gâteaux au chocolat : le biscuit ne contient pas de farine, uniquement des œufs et de la poudre de cacao. Sa préparation est délicate, mais une fois que vous l'aurez essayé, vous n'en voudrez plus d'autre. N'oubliez pas de commencer la recette deux jours à l'avance, si possible, en dénoyautant les pruneaux et en leur donnant le temps de bien s'imprégner des délicieux arômes de l'armagnac.

8 personnes
Les biscuits au chocolat
6 gros œufs, blancs et jaunes séparés
150 g de sucre semoule
50 g de cacao en poudre tamisé

La crème aux pruneaux
400 g de pruneaux d'Agen dénoyautés, trempés toute une nuit dans 12 cl d'armagnac (voir l'introduction de la recette)
1 cuillerée à soupe de crème fraîche

Le glaçage et la finition
150 g de chocolat noir à 75 % de cacao, cassé en petits morceaux
1 cuillerée à soupe de crème fraîche

Il vous faudra également 2 moules à manqué à fond amovible de 20 cm de diamètre, au fond et aux parois bien huilés, et garnis de papier sulfurisé. Préchauffez le four à 180 °C (th. 6).

Dans un grand saladier bien propre, réunissez les blancs d'œufs. Mettez les jaunes et le sucre dans un autre saladier, et fouettez jusqu'à ce qu'ils commencent à pâlir et à s'alléger. Ne les laissez pas trop épaissir et ne battez pas au-delà de 3 minutes. Incorporez délicatement la poudre de cacao tamisée.

Prenez un fouet très propre et battez les blancs d'œufs jusqu'à ce qu'ils soient fermes mais non rigides. À l'aide d'une cuillère en métal, incorporez une grosse cuillerée à soupe de blancs battus dans le mélange chocolaté pour le détendre un peu, puis, doucement et avec précaution, incorporez le reste des blancs en coupant et en tournant le mélange pour bien l'aérer. Répartissez le mélange équitablement dans les deux moules à manqué, et faites cuire 15 minutes au four en position médiane. Les biscuits auront une surface irrégulière, comme soufflée, mais ils retomberont au sortir du four. Laissez-les refroidir dans leur moule, puis détachez-les de celui-ci en insérant une lame de couteau entre le moule et le biscuit, retournez-les sur un plat et retirez délicatement le papier sulfurisé qui garnit le fond de chaque biscuit. Déposez un des biscuits sur une grande assiette.

Confectionnez la crème : réservez d'abord 10 ou 12 des plus gros pruneaux, et réunissez les autres dans le bol d'un robot avec leur liquide de macération et la crème fraîche. Réduisez en purée fine, versez celle-ci sur le biscuit posé sur l'assiette, égalisez la surface et déposez le second biscuit sur le premier.

Il ne reste plus, à présent, qu'à appliquer le glaçage au chocolat. Pour le préparer, mettez le chocolat en morceaux dans un grand saladier placé au-dessus d'une casserole d'eau juste frémissante. Le saladier ne doit pas toucher l'eau. Sur feu très doux, laissez fondre le chocolat pendant 5 minutes environ, jusqu'à ce qu'il soit lisse et lustré. Retirez-le du feu et remuez-le bien pour le lisser, puis laissez-le tiédir 2 ou 3 minutes.

Trempez chaque pruneau réservé dans le chocolat fondu afin de l'enrober à demi. Déposez les pruneaux sur une feuille de papier sulfurisé. Incorporez ensuite la crème fraîche au chocolat fondu et glacez le gâteau d'une couche épaisse et égale de ce mélange à l'aide d'un couteau palette. Dessinez des vagues dans le glaçage tout en travaillant. Cela fait, décorez le gâteau des pruneaux chocolatés, couvrez le tout d'un grand saladier renversé et gardez le tout au réfrigérateur 1 heure au moins, jusqu'au moment de servir.

Crèmes brûlées au chocolat

La crème brûlée a été aux années 90 ce que la mousse au chocolat était aux années 60-70 : il y en avait au menu de tous les restaurants. Cette recette classique se prête volontiers aux variations telles que celle-ci : une crème au chocolat veloutée couverte d'une couche croquante de sucre caramélisé. Les grils de four domestiques étant variables et imprévisibles, j'ai triché en nappant la surface du dessert d'un caramel, mais vous pouvez aussi utiliser un chalumeau de cuisine.

6 personnes
150 g de chocolat noir à 75 % de cacao, cassé en petits morceaux
60 cl de crème fleurette
6 gros jaunes d'œufs
50 g de sucre semoule
1 grosse cuillerée à café de Maïzena

Le caramel
175 g de sucre cristallisé

Il vous faudra également 6 ramequins ou 6 petits moules à soufflé de 7,5 cm de diamètre et de 5 cm de profondeur.

Commencez la recette la veille du jour où vous comptez la servir. Réunissez le chocolat en morceaux et 15 cl de la crème dans un grand saladier placé au-dessus d'une casserole d'eau juste frémissante. Le saladier ne doit pas toucher l'eau. Sur feu très doux, laissez fondre le chocolat pendant 5 à 6 minutes, puis retirez la casserole du feu et remuez soigneusement le chocolat jusqu'à ce qu'il soit lisse et lustré.

Dans un autre saladier, fouettez les jaunes d'œufs, le sucre et la Maïzena pendant 2 minutes, jusqu'à ce que le mélange soit pâle et onctueux.

Dans une casserole moyenne, portez à frémissement le reste de la crème et versez-le petit à petit sur le mélange œufs-sucre, sans cesser de fouetter. Versez le tout dans la casserole et faites chauffer sur feu doux en remuant bien jusqu'à épaississement (de 2 à 3 minutes). Fouettez le chocolat fondu avec la crème jusqu'à obtention d'un mélange bien lisse, ajoutez un peu de crème anglaise chaude en fouettant. Ajoutez ensuite le reste de la crème anglaise et fouettez jusqu'à ce que le mélange soit parfaitement homogène. Versez cet appareil dans les ramequins, à 1 cm du bord. Laissez refroidir, couvrez de film alimentaire et réservez toute une nuit au réfrigérateur.

Quelques heures avant de servir les crèmes brûlées, confectionnez le caramel. Versez le sucre cristallisé dans une petite casserole, posez celle-ci sur feu doux et laissez chauffer le sucre en le surveillant du coin de l'œil. Quand les bords commencent à fondre (photo en haut, à droite), c'est-à-dire au bout de 4 à 6 minutes, secouez la casserole et laissez fondre le quart du sucre. Remuez doucement avec une cuillère en bois (photo centrale, à droite) et continuez la cuisson jusqu'à ce que le sucre soit complètement liquéfié et ait pris une couleur ambre foncé (photo du bas, à droite). L'opération prend en tout de 10 à 15 minutes. Retirez la casserole du feu, retirez le film alimentaire des ramequins et versez le caramel sur les crèmes au chocolat. Inclinez légèrement les ramequins en tout sens pour obtenir une couche fine et uniforme de caramel sur toute la surface de chaque crème. Laissez durcir quelques minutes, couvrez de papier d'aluminium (pas de film alimentaire qui condense l'humidité et ferait fondre le caramel). Réservez au réfrigérateur jusqu'au moment de servir.

Ces crèmes se congèlent bien, mais il faut les congeler avant l'ajout de caramel. Comme celui-ci a tendance à durcir plus vite sur une crème sortant du congélateur, inclinez et tournez les ramequins sans attendre une seconde, puis faites décongeler les crèmes 2 heures au réfrigérateur avant de servir.

Note : rien ne vous interdit d'utiliser un chalumeau de cuisine pour caraméliser le sucre sur les crèmes. Cela vous permet d'obtenir une couche de caramel plus mince. Saupoudrez chaque crème d'une cuillerée à café de sucre semoule et humectez la surface avec un brumisateur d'eau, ce qui permettra au sucre de caraméliser sans brûler. En un mouvement de va-et-vient, passez la flamme sur chaque crème jusqu'à ce que le sucre soit bien caramélisé.

Mini-esquimaux glacés au chocolat

Rigolos, certes, ces petits esquimaux, mais savoureux aussi, surtout si vous choisissez des produits — glaces, chocolats — de toute première qualité. Je recommande ici trois sortes de chocolat, mais vous pouvez simplifier en n'en retenant qu'une ou deux.

Pour 25 à 30 sucettes glacées
50 cl de très bonne glace à la vanille
150 g de chocolat noir à 75 % de cacao, cassé en petits morceaux
150 g de chocolat blanc de bonne qualité, cassé en petits morceaux
150 g de chocolat au lait de bonne qualité, cassé en petits morceaux
2 grosses cuillerées à soupe de pistaches mondées, non salées, grossièrement concassées
2 grosses cuillerées à soupe de noisettes mondées, grillées et grossièrement concassées

Il vous faudra également 2 plaques à pâtisserie à léger rebord ; une grande boîte en plastique peu profonde de 13 x 20 cm et de 6 cm de profondeur, munie d'un couvercle ; une cuillère parisienne de 2,5 cm de diamètre, du papier sulfurisé et une trentaine de petites piques cocktail en bois.

Comme il est important de commencer cette recette la veille du jour où vous voulez la servir, étalez la glace en une couche régulière au fond de la boîte en plastique aussitôt après son achat, fixez le couvercle et réservez la boîte toute la nuit au congélateur. En même temps, garnissez les plaques de papier sulfurisé et glissez-les aussi au congélateur.

Au moment de confectionner les mini-esquimaux, portez à ébullition une petite casserole d'eau. Retirez la glace du congélateur, ainsi que l'une des deux plaques, trempez la cuillère parisienne dans l'eau bouillante, puis faites-la courir le long de la glace pour confectionner des boulettes. Déposez chacune sur la plaque froide. Il faut travailler vite ; ne vous laissez distraire par rien ni par personne, mais si vous trouvez que la glace se ramollit, remettez le tout au congélateur et reprenez l'opération plus tard. Si personne ne vous interrompt, vous devriez vous en sortir en une fois. Plantez une pique en bois dans chaque boulette de glace et remettez les plaques garnies 2 heures au moins au congélateur ; les boulettes doivent être très dures.

Au bout de ce temps, faites fondre les trois chocolats séparément. Réunissez d'abord le chocolat en morceaux dans un grand saladier placé au-dessus d'une casserole d'eau juste frémissante. Le saladier ne doit pas toucher l'eau. Sur feu très doux, laissez fondre le chocolat pendant 5 minutes, jusqu'à ce qu'il soit lisse et lustré. Retirez le chocolat du feu et recommencez l'opération successivement avec les deux autres chocolats, dont la fusion prendra 3 ou 4 minutes. Laissez chaque chocolat revenir à température ambiante (détail très important ! avant d'en enrober les esquimaux, afin d'éviter que la glace ne fonde). Enrobez de chocolat blanc un tiers des boulettes de glace : soulevez chacune par la pique en bois, maintenez-la au-dessus d'une assiette et enrobez-la à l'aide d'une cuillère. Parsemez de pistache concassée (pas au-dessus du bol de chocolat !) Reposez la boulette enrobée sur la plaque froide. Le chocolat durcira autour de la glace immédiatement. Enrobez ensuite le deuxième tiers des boulettes de chocolat au lait, puis le troisième tiers de chocolat noir, en parsemant cette fois les boulettes de noisettes concassées. Une fois tous les esquimaux posés sur les plaques, réservez le tout au congélateur. Sortez-les juste avant de consommer.

Note : vous pouvez également utiliser des amandes, des noix, des noix de pécan, de macadamia, du Brésil, etc. ; vous pouvez également mélanger à l'un des chocolats, avant d'en enrober les glaces, 4 noix de gingembre confit finement hachées. Si vous désirez préparer ce dessert un certain temps à l'avance, protégez-le de film pour congélation.

Mini-muffins au chocolat et aux noisettes grillées

Ces petits muffins ont été conçus pour être préparés par des enfants. À l'origine, lors de l'événement pour lequel je les avais imaginés, chacun était garni d'une cerise confite. La présente version est plus adulte, mais les enfants peuvent toujours la préparer en faisant fondre des pépites de chocolat et en utilisant des cerises confites pour le décor.

Pour 24 muffins
50 g de chocolat noir à 75 % de cacao, grossièrement haché
150 g de farine
2 cuillerées à soupe de poudre de cacao
1 cuillerée à dessert de levure chimique
1/4 de cuillerée à café de sel
1 gros œuf légèrement battu
40 g de sucre semoule
12 cl de lait
50 g de beurre fondu et légèrement refroidi

La garniture
50 g de noisettes grossièrement concassées
75 g de chocolat noir à 75 % de cacao, cassé en petits morceaux

Il vous faudra également 2 plaques à mini-muffins de 12 compartiments chacune, ou 24 caissettes rondes pour petits fours en papier cannelé. Préchauffez le four à 200 °C (th. 7).

Commencez par faire griller les noisettes concassées. Étalez-les sur une plaque et faites-les rôtir 5 minutes à four préchauffé. Utilisez un minuteur, c'est important — elles ne doivent pas brûler.

Préparez ensuite les muffins : tamisez ensemble la farine, le cacao en poudre, la levure chimique et le sel dans un grand saladier. Dans un autre saladier, mélangez l'œuf, le sucre, le lait et le beurre fondu. Versez une seconde fois les ingrédients secs dans le tamis et tamisez-les de nouveau sur le mélange précédent (ce double tamisage est essentiel car l'appareil ne doit pas être mélangé longtemps). Très vite, en 15 secondes environ, à l'aide d'une grande cuillère en métal, incorporez les ingrédients tamisés aux ingrédients humides, sans remuer ni battre, et ne vous arrêtez pas à l'aspect peu engageant du mélange : c'est le signe que les muffins seront légers. Incorporez le chocolat haché, cette fois en remuant un peu plus, mais à peine.

Versez l'appareil dans les moules ou les caissettes, en y mettant à peu près la valeur d'une grosse cuillerée à café, et faites cuire 10 minutes au four en position élevée, jusqu'à ce qu'ils soient bien levés. Retirez-les du four et laissez-les refroidir 5 minutes dans leurs moules avant de les déposer sur un plateau.

Pendant qu'ils finissent de refroidir, préparez la garniture : déposez le chocolat en morceaux dans un petit saladier placé au-dessus d'une casserole d'eau juste frémissante. Le saladier ne doit pas toucher l'eau. Sur feu très doux, laissez fondre le chocolat pendant 3 minutes, jusqu'à ce qu'il soit lisse et lustré. Retirez le chocolat du feu et remuez bien pour finir de le lisser, puis laissez-le tiédir 2 minutes.

Lorsque les muffins ont suffisamment tiédi, déposez sur chacun d'eux un peu de chocolat fondu à l'aide d'une cuillère, reposez le muffin sur le plateau et parsemez-le de noisettes grillées.

12
Annexes

Index des ingrédients

A

B

C

D

E

F

G

H

J

R

S

T

V

Y

Table des recettes

1 Tout sur les œufs 9

2 Tartines, quiches et pizzas 37

3 Légumes 59

Remerciements

Je désire remercier chaleureusement tous ceux qui m'ont aidée à réaliser ce livre.

Merci donc à Flo Bayley, Miki Duisterhof, Karen Hatch et Caroline Field pour le graphisme et la photographie. À Celia Stone, Mary Cox et Pauline Curan pour la vérification des recettes. À Annabel Elliott, Helen Benfield et Annie Rigg, de New Crane Publishing, pour leur concours apporté à cette vérification ; à Susan Fleming pour son assistance éditoriale et à Linda Dwyer pour les accessoires ; à Paula Pryke pour ses fleurs magnifiques.
Merci à Lindsey Greensted-Benech et à Sarah Randell pour l'aide précieuse qu'elles m'ont apportée pendant le tournage. Merci aussi à ma talentueuse équipe de télévision : David Willcock, John Silver, Philip Bonham Carter, Keith et Vivien Broome, John Mills, Sheila Wilson, Simon Wilson, Beverley Russell, Julia Barclay, Linda Flanigan, Sally Coulthard, Bruce Law, Robert Alexander, Mal Maguire, Andy Bates, Andy et Davina Young, Pauline Harlow et Georgina Faulkener. Merci encore à Sara Raeburn, Lesley Drummond et Jeanette Farrier pour le maquillage, la coiffure et les vêtements.

Merci mille fois à mon équipe providentielle : Melanie Grocott, Amanda Clark, Sarah Randell, Tamsin Burnett-Hall et Eirwen Oxley Green.

Enfin, je remercie les moulins Carrs, en Cumbrie ; Kelly's, en Essex ; la famille Martelli, à Lari, ; et Alberto Camisa, qui m'aide depuis une trentaine d'années.

Dépôt Légal : mai 2002
23-27-6683-01/9
ISBN : 2-01-23-6683-X
Imprimé à Singapour

L'éditeur remercie Audrey Salas pour son aide précieuse
et Christelle Lepetit pour ses lectures attentives et sa bonne humeur.